# 抱擁、あるいはライスには塩を　上

江國香織

JN286955

集英社文庫

抱擁、あるいはライスには塩を〈上〉　もくじ

# 登場人物

陸子《りくこ》　柳島家の次女
望《のぞみ》　姉
光一《こういち》　兄
卯月《うづき》　弟

豊彦《とよひこ》　父
菊乃《きくの》　母
百合《ゆり》　叔母
桐之輔《きりのすけ》　叔父
竹治郎《たけじろう》　祖父　貿易会社経営
絹《きぬ》　祖母　ロシア人

# 抱擁、あるいはライスには塩を〈上〉

# 1　一九八二年　秋

　それはまったく突然のことだった。午後で、私はいつものように図書室にいたし、卯月《うづき》はもちろん庭にいた。兄がどこにいたかは知らないが、おそらく自分の部屋で、彼の愛してやまない音楽を、聴いていたのだと思う。

　図書室には大きな机が一つあり、椅子はさまざまな種類のものが置いてある。でも私は椅子ではなく、出窓の下に、ちょうどその出窓の幅と奥行き分の大きさで造りつけになっている窓台――壁よりひっこんでいる、四角い空間――に、すっぽりと横向きにおさまって坐《すわ》るのが好きだ。そこは日ざしが直接あたるので目に悪い、という理由で、窓台ではなくきちんと椅子に坐って読むよう言われてはいたのだが、私はその言いつけを、どうしても守ることができない。とくに、窓の外で黄金色の葉がカサカサと鳴る、空気の澄んだ秋の日には。

「陸子《りくこ》」

　ノックの音がして、声と一緒に母が入ってきた。

「お父さまからお話があるから、お父さまのお部屋にいらっしゃい」

私は膝に本を置いたまま、はい、と、短く返事をした。何か大切な話なのだ、とわかったのは、窓台に坐っていたのに叱《しか》られなかったからだ。母は、すこしそわそわしているように見えた。

「卯月もつれてきてね」

微笑《ほほえ》んで言い、私の頭に手のひらで触った。母の指はいつも冷たい。私の目の高さに、母のスカートがあった。黒なのによく見ると緑や紫の糸のまざった、冬用のタイトスカート。かすかにナフタリンの匂いがした。

母がでていってしまうと、私は本を棚に戻し、もう一度窓台によじのぼって、窓の外に身をのりだし、弟を呼んだ。

「卯月ーっ」

庭のどこか、図書室の窓からそう遠くない場所にいることはわかっていた。本を読んでいるあいだじゅう、弟の動きまわる音や気配、ひとりごとやミミズに話しかける声がしていたから。

「卯月ーっ、帰りなさいってえ。お父さまがお呼びだってえ」

窓枠につかまって、上半身が揺れるくらい大きな声で、私は怒鳴った。すると、椿が三本くっついて植わっているあたりで、卯月がすっくと立ち上がるのが見えた。

「卯月、早くー」

私はまた声をふりしぼった。弟はにこにこ笑いながら駆けてくる。散り敷かれた落葉のなかを、嬉《うれ》しそうに。青い小さい水筒が、いかにもじゃまそうに、斜めにぶらさがっている。


父の部屋に入ると、そこにはすでに母と兄がいた。父は書き物机の向うに坐って、母と兄は部屋のまんなかに立って。

「おいで」

私たちを見ると、父は手招きをした。

「お姉ちゃんは?」

私は訊《き》いた。ここに呼び集められるときは、子供たち四人が揃《そろ》っていなくてはならなかった。すくなくとも、これまではいつも。

「いいんだ」

父は言った。

「すぐにすむから、三人とも黙って聞きなさい」

兄と弟はお揃いの服を着ていた。白いシャツに、黒いずぼん。兄のそれは清潔で、弟のそれは泥だらけだという違いはあったけれども。

「おもしろい提案だよ」

提案、という言葉を父は使った。立ち上がり、机の手前にまわって、そこに軽く腰をのせた。

「学校に通うっていうのはどうかな」

あまりにも突然のことだった。

「ひゃあ」

びっくりして、変な声がでた。でもそれは、

「どうして?」

と尋ねた兄の、狼狽《ろうばい》した声にかき消されてしまった。

私たちの両親は、よその多くの両親とは違う教育方針を持っていた。憲法に定められた義務教育というのは、九年間学校に行く義務ではない。子供には何の義務もない。あるのは教育を受ける必要と自由と権利だけであり、子供にそれを与えることが、親に義務づけられているにすぎない。そうであるならば、家庭で勉強させればいい。

実際、私たちは厳しく勉強させられていた。家庭教師の先生が二人、交代で毎日きているし、音楽とか美術とか、父が自ら指導する体育とかの時間もあった。それも、小学校に入学する年齢よりもずっと早くから始められたので、たとえば私はたった八歳だけれども、『ガリバー旅行記』の完訳本を読んでいる。十二歳の兄は数学が好きで、家庭

教師によれば「かなり優秀な高校一年生レベル」だということだ。

家庭で勉強させる、というのは、昔はあたり前のことだった、と、母の両親――私たちの、偉大なおじいちゃんとおばあちゃん――は言う。母も、母の妹の百合《ゆり》叔母ちゃんも弟の桐《きり》叔父ちゃんも、大学以外の学校には行っていない。ちゃんと勉強して、試験に通れば、それまで学校に行ったことがなくても大学に行かれるのだ。行きたければ。

だからこの日、私たちはほんとうにほんとうに驚いた。

「いやだよ」

兄は泣きそうな顔をしていた。

「なんでいまさら小学校なんか」

「思うところあってね」

そう言った父の顔は、なんだか淋しそうに見えた。何も言わずに立っている母も、心配そうな、私たちを気の毒がっているような顔をしていた。まるで、この「提案」が彼らの本意じゃないとでもいうように。

「ひゃあ」

私はもう一度言った。

「小学校に行くなんて、ぶっとんでる」

「小学校に行くの？」

卯月が私を見上げて訊いた。

「僕も？」

心細そうではあるが、とり乱してはいない。

「そうみたいね」

私は言い、励ますつもりで手をつないだ。白っぽく乾いた土のこびりついた、かわいらしい卯月の手。

六歳にしては、卯月は体が小さい。せいぜい四歳くらいにしか見えない。そして、言動もちょっと幼い。にこにこして、庭で遊んでばかりいるのだ。

「文《ふみ》ちゃんみたいに？」

卯月はたった一人の友達の名前を言った。

「そう。文ちゃんみたいに」

私はにっこりしてみせる。十も歳の離れた姉みたいに、大人っぽく。

行きたくない、と、あくまでも兄は言い張った。無駄なことはわかりきっているのに。この家では、大事なことはみんな大人が決めるのだ。そして、一度決まったことは覆らない。ある程度の結果を見ない限り。

「新鮮だろう？」

私たちの気をひきたてようとして、父は言った。

「やってみて、どうしても嫌ならやめればいい。でも、やってもみずに決めつけるのはよさなくちゃいけない」

「お姉ちゃんは中学校に行くの？」

私は父に訊いた。

「いや。私たちは、お前たち三人を小学校に通わせることにした。それだけだよ」

父の部屋の壁は薄いベージュ色だ。ところどころに染みがついて、色が変っている。小学校、という奇妙な言葉を現実として受けとめようと努力しながら、私はその壁をじっと見つめていた。


夕食は七時と決められている。父の部屋をでてから七時までのあいだ、私たちは無論大騒ぎだった。私は、まず自分の部屋――というのは姉の部屋でもあるのだが――にとびこんで、姉にこのビッグニュースを報告した。私のなかにはひたすら驚きしかなくて、そのほかの感情――不安とか、期待とか――は、遥か遠くにぼんやりと、誰かほかの人のもののように意識されるだけだった。姉は眼鏡の奥の目をまるくして話を聞いていたが、「小学校に行く」という言葉を私が発するのを聞くと、息をのんだ。百合叔母にどっさり借りて、ここのところ熱中している英語のコミックブック――古くて紙が湿り、とてもカビくさい――が、机の上に広げてある。

「ほんとう？　でもどうしてなの？　あなたたちの誰かが行きたいって言ったんじゃない限り、お父さまたちがそんなことを決めるなんて考えられないわ」

信じられない。口のなかのドロップをかちゃかちゃいわせながら、姉は何度もそう言った。そして、それはもっともなことだった。

「お姉ちゃん、学校に行きたかったんだもんね」

兄から聞かされていた姉の話――望《のぞみ》は六歳のとき、学校に行きたいって駄々をこねたんだぜ――を思いだし、私は急に気が咎《とが》めた。

「お姉ちゃんもお願いしてみれば？　中学校に行かせてって」

姉の眼鏡の奥の目が、また見ひらかれた。今度は、あからさまに嫌悪の表情を湛《たた》えている。

「冗談でしょう？」

姉は、ホールドアップされた人のように両手をぱっと持ち上げて言った。

「あたしは、あのとき諄々《じゅんじゅん》と言いきかされて、わかるでしょ、学校に行くのは大学生になるまで待てってって、説得されて、そのときは悲しかったけど、いまは感謝してるの。感謝っていうか、それがあたりまえだなあって思ってる」

首をかしげ、腰まである長い髪を揺らした。

「だからね、陸ちゃんたちが学校に行かされるなんて、ちょっと信じられない」

たくさん喋《しゃべ》ったせいで、姉のまわりはドロップの甘ったるい匂いになった。

「うらやましい？」

それでもわずかな期待を込めて、私は訊いた。姉はごめんねと目で訴えながら、

「いいえ」

と、こたえた。

私は次に、台所に駆け込んだ。台所は廊下のつきあたりにあって、祖母がとりしきっている。

「私たち、学校に行くんだよ」

勢い込んで言った。私は誰かに感心してほしかったのだ。

「行くのよ」

祖母はまず、私の言葉遣いを正した。紬《つむぎ》にたすき掛けという恰好《かっこう》の祖母は、茶色い髪をものすごく短く刈り上げている。しわのたくさん刻まれた皮膚は、ぬけるように白い。

「私たち、学校に行くのよ」

言い直すと、祖母はくっきり微笑んで、

「そうですってね」

と、こたえた。私の顔をじっと見ている。感心どころか驚いてももらえず、私はがっかりした。

「嬉しい？」

目を合せたまま尋ねられ、すこし考えて、私は首を横に振った。すると、次の瞬間に祖母はしゃがんで、私の頬を両手ではさんだ。

「みじめなニジンスキー」

これは、私たち家族にだけ通じる言いまわしで、かわいそうに、という意味だ。

「かわいそうなアレクセイエフ」

私は頬をはさまれたままこたえた。二つは対《つい》なのだ。合言葉みたいなものだけれど、強《し》いて言えば、ありがとう、とか、お互いにね、とかという意味になる。祖母の指も、母とおなじでいつも冷たい。

兄の部屋——というのは弟の部屋でもあるのだが——は、二階の端、図書室の真上にあたる。様子を窺《うかが》いに行くと、夥《おびただ》しい数の積木が散乱した中央に、卯月がぽつんと坐っていた。

「どうして電気をつけないの？」

窓の外はすっかり夕方になっているのに、部屋の隅のフロアスタンドが一つついているきりだった。私は天井の電気のスイッチを入れた。

「あー」

卯月は大げさにうめいて、床につっぷす。

「王国も夕方だったのに」

「月がでたってことにすればいいでしょ」

私は言い、お兄ちゃんは、と、訊いた。

「電話しに行った」

その返事を聞くやいなや、私はまた大急ぎで階段を駆け下りる。階段は暗く、玄関のあかりが屈折して届くので、壁にかけられた幾つもの絵が、不気味に浮き上がって見える。私がいちばん好きなのは、鏡の前に立った女の人の肖像画だけれど、きょうは眺めている暇がない。台所から、料理の物音と匂いが漂ってくる。

すぐの居間と呼ばれている部屋で、兄が受話器を耳にあて、百合叔母に苦境を訴えているところだった。

「いやだよ……いやだって言ってるじゃないか……無理だよ、示せない……ちがうよ、そうじゃなくて……そんなことは僕の手に余るよ」

私が近づくと、兄は電話機を指さして、電話中であることを（見ればわかるけど）示した。

「自分だって学校になんか行ってないくせに」

私は鳩時計《はとどけい》を指さして、放っておいても叔母がもうじき帰ってくることを思いださせた。これ以上ひきとめれば、帰りが遅くなるだけだということも。

「だってそれは職場じゃないか」

百合叔母は大学で講師をしている。女子大をでて、一度お嫁に行ったのだがすぐに離縁し、この家に戻って大学院に通い直したのだ。兄は百合叔母に懐《なつ》いていて、百合叔母に対してだけ、ときどき癇癪《かんしゃく》をおこす。

「うん……わかってるけど、でも難しいよ……きっと手に負えない」

「埒《らち》があかない」

声にだして言い、私はソファにどしんと腰をおろした。あまりにも古くて、革があちこち細かくひび割れている、茶色いソファ。

小学校に行くというのは確かに青天の霹靂《へきれき》だったけれども、兄の狼狽ぶりは噴飯《ふんぱん》ものだと思えた。

私にはまるでわかっていなかったのだ。小学校というのがどんなところなのかも、私たち家族が、どんなに時代からとり残されているのかも。

自動車の扉の閉まるばたんという音がして、私は転がるように玄関に走った。この家で自動車に乗っている人間といえば、桐叔父ただ一人だ。砂利を踏む音が聞こえる。裸足《はだし》のまま三和土《たたき》に下り、私はのびあがって玄関の鍵をあけた。

つめたい空気、やせっぽちな人影。

「やーあ、プリンセス」

人影は私の目の前まで来ると、へなっと崩れるような独特の動きで膝を曲げて、私を素早く抱きあげてくれる。

「お出迎え御苦労」

年中日灼《ひや》けしている皮膚と、年中笑っている顔。なつかしい――というのは今朝以来一日ぶりっていうことだけれど――ふわふわの毛皮のコートの感触を、私は顔じゅうで味わう。

「おかえりなさい」

言って、顔を見つめた。桐叔父の顔と首の皮膚は、さわらなくても温度の高いことがわかって、煙草《たばこ》とプールのまざった匂いがする。

「おかえりなさい」

私とおなじ音を聞いて、あわてて下りてきたらしい卯月の声がした。

「ハーイ、卯月ー」

叔父は再びへなっと崩れるような動作をして私を下ろし、卯月には抱擁と、頰に頰をつける挨拶《あいさつ》をした。卯月は嬉しそうにくすくす笑う。

「あのね、私たち、小学校に行くことになったんだよ」

私が言うと、叔父は両手を広げて上体を反《そ》らし、

「すごいじゃん、だって俺も行ったことないんだよお、冒険者たちじゃん」

と言ってくれたが、すでに知っていたのだとわかった。

「おもしろいと思う？」

卯月が訊いた。

「もちろん」

あかるい声で、桐叔父は即答した。それからふいに真顔になって、

「これはほんとだよ。へんなものはおもしろい。しっかりおもしろがっておいで」

と、言った。


小学校に通う、という衝撃的なニュースを聞かされた十日後に、私と兄と弟は、初登校した。その数日前には、母に連れられて、通学路の確認と校内の見学を済ませていた。やけにのっぺりしていて四角い、というのが、小学校に対する私の第一印象だった。見学に行ったのは天気のいい午後で、銀杏《いちょう》の木のある無人の校庭は乾いたあかるさを湛えていたのに、下駄箱のならぶ空間に一歩入るとひどく暗く、温度も低くて不吉な感じがした。

「病院みたいだね」

私の指を握りしめて、卯月が小さい声で言った。兄は無言だった。

私たちが胸苦しいほど不安だったのは、でも下駄箱の暗さより、母の緊張した面持《おもも》ち

のせいだったのだろうと思う。かつて、家のしきたりに反発した跳ねっかえり娘で、家出をしてそのまま独り暮しをし、祖父母を大いに困惑させた私たちの母は、普段とても気丈で、たいていの物事に怯《ひる》まずに対処できる。外の世界のすべてを恐れ、たとえばデパートに行くだけでも緊張して頭痛を起こす百合叔母とは、まるで違った人格の持ち主なのだ。その母が表情をこわばらせ、全身の神経をとがらせている！

職員室に行き、教頭先生に挨拶をした。眼鏡をかけ、背が高く、白髪まじりの髪をきちんととかしつけたこの先生は、物解《ものわか》りがよさそうだったので、私たちはすこし安心した。別の部屋に移動し、母にだけお茶がだされた。私たちは幾つか質問をされ——名前とか、年齢とか、何をして遊ぶのが好きかとか、家庭教師との勉強はたのしかったかとか——、こたえたが、それらは場をつなぐためのもので、彼はあまり知りたがってはいないようだった。左右の壁に、日本の農村を描いた油絵と、壺《つぼ》の写真のついたカレンダーがかけられていた。二つが向き合うような位置にかけられているせいで収まりが悪く、部屋全体が調和を欠いて落着かないのだと私は思った。あのべらべらした縦長のカレンダーは、もっと別な場所に移すべきなのに、と。

それから教室を三つ、見てまわった。卯月の編入する一年生の教室と、私の編入する二年生の教室、それに兄の編入する六年生の教室だ。最初の扉をあけたときの光景を、私は生涯忘れないと思う。勿論《もちろん》ちゃんと知ってはいた。知ってはいたけれど、人の話からだけ聞くのと実際に見るのとは、全然違うことだ。大勢の子供たち、全部子供だ。色とりどりの服を着た、顔も体も様々な、おなじ年齢の子供たち。それが一部屋にぎっしりいて、小さな椅子に坐り、小さな机に向かっている。

私たちの入った扉は後ろの扉だったので、実際に見たのは彼らの後ろ姿だ。それから一斉にふり返った知らない顔、顔、顔。私たちはたぶん三人とも息をのんだ。卯月は両目を恐怖と驚きに見開いていた。兄は子供たちから目をそらし、あとはできるだけ何も見ないよう、気をつけているようだった。そして私は、混乱し、落着こうと努めるときにいつもそうなるのだが、人ではなく物に、意識を集中しようとした。下半分が肌色で、上半分が白の壁だとか、濃い灰色のスピーカー、丸くそっけない掛時計や、随分大きな温度計なんかに。

教室は三つともよく似ていた。構造も備品も、空き箱に似た匂いも。ただ、おなじように整然と坐っている生徒たちの、年齢と体格と気配だけが差を（辛《かろ》うじて）生んでいるようだった。

当然予期されたことではあるのだが、その日の夕食の席は、ちょっとした家族会議の様相を呈した。我家では、朝食と昼食は子供と大人が別々に摂《と》ることに決まっていて――といっても、大人たちはそれぞれ都合があるので必ずしも一緒に食事をするわけではないのだが、いずれにしても——午後七時からの夕食だけが、家族が全員顔を揃える食事の場だ。そのために祖母は毎日何時間もかけて料理をしているのだし、私たちは手や顔を洗って、もしも服が汚れていれば着替えて、食卓につく。外で働いている桐叔父と百合叔母も、特別な用事や旅行がない限り、夕食には決して遅れない。

ここのところずっとそうであるように、兄は食卓でも不機嫌だった。理由は明白で、小学校に行かされることが何としても嫌なのだ。

「でも光一《こういち》は六年生だから、たった一年じゃん」

桐叔父は快活に言い、

「陸子や卯月のことを考えてごらんよ、ながいよお」

と、続けた。母が眉をひそめる。

「陸子と卯月が恐がるでしょう」

叔父は異なことを聞いたとでもいうように滑稽《こっけい》な顔をつくり、

「平気だよなあ、陸子と卯月は冒険者たちだもん」

と、言う。お皿に顔をくっつけんばかりにして、卯月のためにひらべったい魚——バターでソテーした舌平目——をむしってあげていた私には、見なくても叔父の表情がわかった。仲間に合図を送るみたいな、笑いたいのに我慢しているみたいな表情だ。お皿から顔を上げ、私は叔父に笑顔を返した。こっそり。

「できたわ」

卯月にささやき、べたべたになった指をなめた。叔父に信頼されていることが嬉しく、誇らしい気持ちだった。母と叔母に言わせると、桐叔父は「どうしようもなく子供」で「頼りがいがない」。でも私の意見では正反対だ。そりゃあ若いころにはいろんな「わるさ」もしたらしいけれど、いまは三十七歳になり、冗談が好きで物識《ものし》りで、義兄である父を手伝って、祖父の興《おこ》した会社の跡を継いでいる。

「子供たちには、そろそろごはんをつけましょうね」

そう言って祖母が立ち上がりかけたとき、それは起こった。

「だって、どうして僕まで行かされるのかわからないよ」

兄がそう言ったのだ。これは言ってはいけないことだった。

「どういう意味だ？」

父が訊き、持っていたグラスを、ゆっくりした動作でテーブルに置いた。

説明しなくちゃならないと思う。私たちを小学校に通わせるという決定の裏には、麻《あさ》美《み》さんがいるのだ（そのことを、私たちは知らないはずだった。大人たちの会話の断片をつなぎあわせて、姉がつきとめてしまった秘密なのだ）。

ばかなお兄ちゃん。

私は胸の内でののしった。

「どういう意味か訊いてるんだ」

父がくり返し、遅まきながら失敗に気づいた兄は、困った表情で黙り込んだ。

麻美さんは卯月を産んだ人だ。それは秘密ではないし、卯月はときどき父に連れられて、麻美さんの家に遊びに行く。でも、その麻美さんが自分の息子である卯月を小学校に入れたがり、そのせいで、父と母のみならず祖父母も叔父叔母も、大いに困惑しているという事実、は、私たち子供には伏せられている。知ってしまった姉にしても、勿論私と兄にだけ教えてくれたのであり、卯月には何も話していないのだった。

助け舟をだしたのは百合叔母だった。

「この子が混乱するのは無理もないでしょう。いままでさんざっぱら聞かされてきたことと、いきなり矛盾するんだから」

口をひらきかけた母を片手を上げて待たせ、

「矛盾ではないよ」

と、父がこたえた。

「確かに変化ではあるけれども、矛盾ではない。それだけは子供たちにも、百合ちゃんにも、はっきり認識していてほしい」

それに、と、口調をやわらげて父は続けた。

「それに、言ったはずだよ、試してみようって。試してみれば、そう悪いことではないかもしれない。試してみて駄目ならば、そのときにまた考えればいい」

「そういうこと」

陽気な声で叔父が言い、

「で、いま何か言おうとしていたね」

と、父が母に言った。祖父だけが黙々と食事を続けている。祖父はものすごく健啖家《けんたんか》だ。肉が好きで、きょうのような魚料理の日でも、必ず何か肉を使った小さな一品——角切りにしたコンビーフとか、とん汁とかソリャンカとか、甘辛く煮た牛肉としらたきとか——が添えられていないと箸《はし》を取らない。

「ああ、文ちゃんのこと」

微笑んで、母が言った。卯月が反応して母を見つめ、母も卯月を見つめる。

「今朝電話をくれたのよね？」

話しかけられたとき、こたえるのに卯月は数秒かかる。どんなことでもまずじっと考えて、心が決まってから口をひらくのだ。

「うん。くれた」

嬉しそうに言う。

「えー、卯月喋ったのお、よかったじゃん。文夫はなんだって？」

桐叔父が盛り上げる。

「……入学おめでとうって」

文ちゃんは、隣に住むシズエさんの孫で、年に数回——文ちゃんがシズエさんに会いに埼玉からやって来るときにだけ——しか会えないが、卯月と同い年で、仲のいい男の子だ。

「そうだよ、入学おめでとう！」

叔父はグラスを掲げてみせた。今度こそごはんをよそってこようと決めたらしい祖母が改めて立ち上がり、手伝うために姉も立ち上がる。

「ありがとう」

一拍遅れて卯月が言った。

「いや、めでたいかどうかはまだわからんけれどもね」

と口をはさんだのが他ならぬ父だったということは、父のなみはずれた生真面目《きまじめ》さを物語っている。

「おひたしの鉢をまわしてもらえる？」

叔母が言い、私たちはそれをまわした。ごはんとお味噌汁、それに漬物の載ったお盆を、姉がしずしずと運んでくる。

夕食のあと、私は図書室で本を読んだ。ガラス窓には室内の様子が映り込んでいるので、すぐ外にあるはずの木も空気も土も虫も見えない。それでも私はカーテンを閉めない。ガラスに映ったフロアスタンドの笠《かさ》や本箱の側面、自分自身の姿を見るとぼんやりと安心する。ほんとにここにこうしてあるのだ、と思えるから。

この部屋は、家じゅうで私のいちばん好きな場所だ。静かで、書物がひっそりとあって、いつも変らない。それに、昼と夜で違う匂いになる。違う匂いになるのに変らないということが、私には、うっとりするほどいいことなのだ。たぶん。

いまは（この前も言ったけど）『ガリバー旅行記』を読んでいる。その前に読んだのは『ふらんす小咄集《こばなししゅう》』で、その前は『王様の背中』だった。家では、私は読書家ということになっている。そのとおりなのだと思う。本を読むことは大好きだ。でも、打ち明ければ、本よりもこの部屋が好きなのだと思う。だから、ここにいても何も読んでいないこともあるし、背表紙だけを、端から眺めて歩くこともある。

祖父母の蔵書はおそろしく古いし、その他の本も、かなり古い。ごく一部だが、ロシア語で書かれた本もある（私たちの祖母はロシア人だ。絹《きぬ》という日本名を持ち、もうずっと日本に暮していて、真夏の一時期以外は和服しか着ず、漬物も漬ければ和裁もし、ぱっと見ただけではいかにも日本のおばあちゃんなのだが、でもロシア人であるらしい）。日本の小説は、ほとんどが母と叔母のものだ。西洋の小説は、祖父と父のものが多い。地図や年表や歴史書の類もたくさんあるし、画集や写真集もある。かびているし、触るとこわれそうなので触れない、ぼろぼろの仮綴本《かりとじぼん》も一棚分くらいある。誰がそこに置いたのか、誰も思いだせないかわいそうな本たちも。思想書や伝播《でんぱ》文化の専門書もあれば、編み物や料理の本もあり、つまりは混沌そのものなのだ。それでいて温かく愉快げな、ある種の秩序としかいえないものが、ここをとても特別にしている。

十時半になった。部屋しか見えないガラス窓の向うで、でも虫が気持ちよさそうに鳴いているのが聞こえる。私は革装の本を閉じて、でこぼこした表面を指でなでる。金色の縁どりの部分はへこんでいる。革装の本は重く、角がとがっていて危ない。だから私にとっては、読むことより棚にちゃんと戻すことの方が難しい。

十一時になると、母が毎晩子供たちの部屋を見まわる。それまでに歯を磨き、ベッドに寝ていなくてはならない。私は椅子にのっかって、エイヤ、と、本を棚に差し込む。椅子を元の位置に戻し、二つある電気スタンドを二つとも消す。

「おやすみなさい」

戸口で天井の電気を消す前に、本たちに言った。

初登校の日は、清々《すがすが》しい秋晴れだった。両親および百合叔母に見送られ、私たちは三人揃って家をでた。

「大丈夫。ちゃんといろいろ気をつけて、ちゃんといろいろ習ってくる」

柿の木に、ぽってりした色の実が幾つもなっているのを目の端に見ながら、私は言っった。

た。小さい声になったけれども、まるっきりのでまかせではなくて、決意に似た感じだった。

「必ず卯月と一緒に帰ってくるのよ」

しゃがんで、卯月の小さなかかとを運動靴に押し込んでやりながら、母が私に念をおしす。

「光一の授業は午後遅くまでだから」

朝の、つめたくてきれいな空気が庭じゅうにあった。灰色の砂利敷道と、つやつやしたクリーム色の叔父の自動車。

背中に母と叔母の声が聞こえ、

「いってらっしゃい」

「いっておいで」

と、父が言うのも聞こえた。私と卯月は――どちらも新品のランドセルをしょって――、門をでたところで立ち止まって手をふった。兄も立ち止まったが、私たちを待っているだけで、家族に手をふろうとはしない。ランドセルはしょっていなくて、大人の男の人が持つような、黒い四角い鞄を提《さ》げていた。タータンチェックのブレザーを着て、途方に暮れた顔をしている。

「大丈夫？」

尋ねると、それでもわずかにうなずいてみせた。疲れたような表情で、

「憂鬱《ゆううつ》なだけだ」

と、言う。私には、兄が抵抗をあきらめたのがわかった。子供じみたまねをやめれば、兄はとても大人びて見える。

「お兄ちゃんは六年三組、陸ちゃんは二年二組」

卯月が呪文のように唱えている。

「お兄ちゃんの教室は三階、陸ちゃんのは一階」

学校までは、歩いて二十分ちょっとかかる。壁ばかり続く住宅地から、坂を下り、大通りを渡り、商店街を抜けてさらにまた細い道をくねくねと進む。私と兄で、両側から卯月の手をひいて歩いた。そうしないと、大きすぎるランドセルの重みで、卯月はうしろにそっくりかえりそうになる。

大通りを渡ったところあたりから、風景が俄然《がぜん》賑《にぎ》やかになる。おなじ学校に向かう他の子供たちの姿が目立ち、私たちは緊張した。

「文ちゃん、いる?」

おなじことを何度も訊くのは、卯月の悪い癖だ。

「文ちゃんはいないわ。でも卯月と同い年の子がいっぱいいる。このあいだ見たでしょう?」

母がすでにくり返し説明したことを、私はもう一度言い聞かせる。

「文ちゃんは文ちゃんの住んでいる街で、こことはべつの小学校に通ってるの」

のっぺりした建物が見えた。コンクリートで地面のおおわれた校門をくぐる。砂埃《すなぼこり》のあがる校庭、遊具、一列に植えられた銀杏の木。歩きながら、私は自分の心臓が、どんどん上にあがってくるような気がした。

「じゃあ、あとで」

朝礼台――それをそう呼ぶということを、私はそのとき知る由もなかったが――の横まで来ると、兄は言った。低学年と高学年とでは、下駄箱の場所も違うのだ。

「うん。あとで」

こたえたが、私は心細さに竦《すく》み上がっていた。


私たち三人が小学校に通った短い日々の、何を、どこから話せばいいだろう。たとえば一日目に、卯月が机の下にもぐったきりでてこなくなったことだろうか。六年生の教室から兄が呼ばれ、兄は卯月に机の下からでてくるよう話しかけたが、卯月は言うことをきかなかった。それとも私の教室がへんなにおいだということを、まず話すべきだろうか。教室の日あたりがよすぎて、窓辺にならべて干してある雑巾がにおうのだ。それから生徒たちの上履きのゴムのにおいと、一人ずつが家庭からくっつけてくる個別のにおい。それらが充満し、教室のなかは息をするのが苦痛なほど空気が悪い。おまけにほかの子供たちときたら！

数人は見るからに愚鈍であり、数人は見るからに凶暴であり、残りは落着きのなさと不躾《ぶしつけ》な好奇心とから、私をじろじろと見る。そして、おどろいたことに、先生の言うことをほとんど誰も聞いていないのだった。

ほんの数日で、私たちはそれぞれのクラスの異端児となった。授業は拍子抜けするほど易しかったが、毎日学校に行くことは苦役《くえき》だった。

切ないのは、すべてに一人で対処しなければならないことだった。卯月は卯月の教室の壁に、兄は兄の教室の壁に、隔てられ、閉じ込められていた。休み時間にのぞきに行くと、兄は自分の席について微動だにせず、傲然《ごうぜん》と顔を上げていた。卯月は自分のランドセルを背負って、うろうろ歩きまわっていた。居場所がないみたいに。

そして私は戦っていた。戦っても戦っても、この戦いに果てはなかった。

勿論、私だって最初は皆と仲よくしようと努力したのだ。おなじクラスの子供たちとも、よそのクラスの子供たちとも、先生たちとも。たとえば、一日目からやたらにまとわりついてくる女の子がいた。休み時間になるたびに私の席にやってきて話しかける。自分のことを「チャミ」と呼ぶこの少女の困った点は、すぐに泣くことだった。しかも、一体なぜ泣いているのか、本人にしかわからないのだ。どうしたの、と尋ねても、泣きじゃくっていて何も言わない。すると周りに人垣ができ、陸子ちゃんが泣かせた、とか、陸子ちゃんがいじめた、とか、ひそひそした声が聞こえる。謎なのは、彼女がきまって私の席で泣くことだった。もっとも本人はケロリとしたもので、次の休み時間には、「チャミさっきはおなかがいたかったの」と言ったり、「宿題をしてくるのを忘れたの」と言ったり、「××ちゃんが帰り道に待ち伏せしていて、チャミの髪をひっぱるからこわいの」と言ったりする。そのたびに私は保健室に行きたいかどうか尋ねたり、宿題をみせてあげたり、髪をひっぱられたらひっぱり返してやりなさいよ、と言ったりし、するとチャミは大きな目にまた涙をためて頭《かぶり》を振り、「できない」と訴えたりするので、またしても、陸子ちゃんが泣かせた、とか、陸子ちゃんがいじめた、とか言われる羽目になるのだった。

でも、なんといってもびっくりするのはそのあとのことだ。チャミとは仲よくしない方がいい、と、わざわざ言いに来た女の子の二人組がいたのだ。彼女たちが言うには、チャミは甘ったれな上にひどい嘘《うそ》つきで、何でも先生に言いつけるのだそうだ。そして、一年生のときにいじめられていた。チャミはときどき「おもらし」をしていて、だから「くさい」とも言った。チャミと仲よくしているとくさいのが「うつる」から、いずれ私もいじめられてしまうだろう、と、つまり彼女たちは警告しているのだった。

また、そういうわずらわしさとは全く別に、教室には私の苦手な男の子が二人いた。

彼らは陰険な乱暴者で、教科書を隠したりランドセルにつばを吐きかけたり、廊下を走ってきて足を踏みつけたりした。走ってくるときのその男の子たちの、暗い喜びの表情。足を踏まれたり物をぶつけられたりすることには、それでも私は耐えられた。相手をにらみつけ、言葉で貶《おとし》めてやることもできた。「卑怯者《ひきょうもの》！」「恥を知りなさい」「品のないことを」私には、桐叔父に「冒険者」と呼ばれた誇りがあった。頭の悪い猿みたいな男の子たちの暴力に、屈するつもりはなかった。

耐えられなかったのは、彼らのおそろしい不衛生さだ。それは誇りだけでは対抗できない、どうしようもない私の弱点だった。彼らはすぐにそれを見抜いた。つばを吐きかけたり、鼻に指を入れて、その指を私にこすりつけようとしたりした。そうされると、私は恐慌をきたす。逃げまどい、しばしば所かまわず嘔吐《おうと》した。嘔吐すると、「きたない」と言われるのは私の方になるのだった。

このことは、あまりにも度重なったために、学校から家に連絡がいった。陸子さんには嘔吐癖があります。

その結果、私は一日学校を休んで、母に連れられて大学病院まで検査に行った。父の友人であるお医者さんの問診のあと、脳波を調べた。曇った寒い日で、母はとても悲しそうだった。私も悲しかった。

「気持ちの悪いことをされるから吐くの」

私は説明しようとしたが、母は、

「大丈夫よ」

と言って私の頬にさわり、

「いままでこんなことはなかったのに」

と、ひとりごとともつかず呟《つぶや》くのだった。病院の帰りに、通りかかったコーヒー屋さんでココアをのませてもらった。数日後にでた検査の結果は、とくべつ悪いところは見あたらない、というものだった。

それでも私は、戦いをやめなかった。二日に一度は学校で嘔吐をくり返していたし、いじめっこのいじめは執拗《しつよう》に続き、ほかの子供たちはみんななんとなくおっかなびっくりに、遠まきに私を観察しているようだった。

成績の上では何の問題もなかった。というよりも、私はあきらかにどの教科においても優等生だった。兄に見せてもらった彼の教科書さえ易しすぎると感じた。二年生の教科書は、冗談みたいなものに思えた。「おにごっこをしています。そこへ男の子が三人、女の子が五人きたので、みんなで二十四人になりました。はじめに何人いましたか」というのがたとえば二年下巻最終ページの算数の問題だった。私は考えてしまう。男の子と女の子の区別は、この場合何の意味もない。おにごっこをしているということもだ。どうしておにごっこなんだろう。何てへんな問題だろう。そして、これがわからないという子たちは、一体どうやってわからないなどと思えるのだろう。

社会の教科書は、野菜やお米はどこで買えるのか、に始まって、ポストに投函した手紙がどうやって宛先に届けられるのか、で終る。

理科だけはすこしおもしろくて、「やじろべえ」というものを私ははじめて知り、気に入って、幾つも作った。

でも、それだけだった。もらったその日に全部読んでしまった教科書をランドセルにつめて、私は毎日戦いを戦うためだけに学校に行った。授業中に発見はなかったし、そのことは私をかなり失望させただけじゃなく、何のために戦っているのかもわからなくさせた。ただ、このときの私には知る由もなかったが、その後ずっと時間がたって、小学校について思いだすとき、算数の教科書の表紙の、二羽のオウムがさくらんぼをくわえた絵柄を私ははっきり思いだすことになる。大人になり、さらに年をとって、他の多くのことを忘れても、なおふいに思いだすことになる。

「もういいよ。やめさせちゃおうよ」

夕食の席で、叔父はそう言った。

「かわいそうで見ていられないよ」

明言するのは叔父だけだったが、父以外の誰もが、心のなかではおなじ意見であるらしかった。それは、私の「嘔吐癖」がひきがねとなっていた。すくなくとも言葉の上では三人のうちでいちばん元気よく、意欲を持って小学校という新しい環境に立ち向かった私の、ささやかな挫折。

「平気」

私は言った。

「つまらないけど、平気」

すると、テーブル越しに兄ににらまれた。わかっていた。小学校は、私たちの誰にとっても重荷だった。私の「嘔吐癖」同様、卯月には「徘徊癖《はいかい》」があることになっていて、彼はいまやほとんど自分の教室にはいない。無理矢理連れ戻されれば机の下にもぐってしまう、という状態だった。

それでも私が学校をやめたいと言わなかったのは、それが私たち三人の敗北ではなくて、家族の敗北であるように思えたからだった。子供たちが外できちんとやれない、とすれば、大人たちは無論悲しみ、自分たちの責任であるように感じるだろう。

「平気」

それで私はそう言い張った。

「卯月だって平気でしょう？」

母はしばしば学校に呼ばれた。職員室や応接室で、実際にどんなことが話し合われているのかはわからなかったが、学校で見かける母はいつでも悲しそうだった。一人ぼっちで、緊張した面持ちで、しかも疲労して見えた。

校庭の銀杏が葉を落とし、寒々しい枯木になるころには、私たち三人の変人ぶりが、個人やクラスの単位を越え、学校全体の噂《うわさ》になっていた。それまでまるで学校教育というものを受けたことのない、時季はずれの編入生三人。

兄にはまるで協調性がないとされた。弟には学習能力がないとされた。そして私は問題児だった。たしかに私たちは他の子と違っていた。着ているものも、言葉遣いも、物事の価値規準も、好きな遊び方も――。それらは何か決定的な、埋めようのない溝であるらしかった。たとえば我家にはテレビというものがなかったし、テレビおよびそこにでてくるアニメキャラクターやタレントや歌手について、興味も知識もなかった。世界は大人のものだと思っていたし、子供には発言権のないことを、いちばん幼い卯月でさえ理解していた。お小遣いというものはもらったことがなく、お金に実際に触ったことがなかった。給食は三人ともきちんと食べたが、食べるのにとても時間がかかったし、手を洗わない子供がいたり、へんな音をたてて食べる子供がいたりすると、それ以上食事を続けられなくなった。無理に口に入れようとすれば吐き気がし、鳥肌が立って汗がふきだした。そして、おそらくこれがいちばん大きな差異だったのだろうと思われるのだけれども、私たちはきちんと言葉を使って意思を伝えるように徹底してしつけられていた。「それをとってもらえる?」とか、「埃が立つから食事のときには走りまわらないでほしいの」とか、「顔のそばで大きい声をだされるとびっくりするからやめて」とか言っても彼らは返事をしないばかりか、気味の悪いものを見るような目で私を見る。失望したのは先生もおなじだとわかったときで、「もうすこし考えてから決めます」とか、「日ざしが強すぎるので、きょうは校庭で遊びたくはありません」とか発言すると、返事のかわりにぷっと吹きだしたりする。体育館に移動するときに、いつも鼻に指を入れていやがらせをする男の子と手をつなぐように言われ、「いやです」とこたえたけれど、先生は理由も聞かずに私とその子の手をつなげた(私は吐いた)。

私にとって小学校という場所はつまり、おそろしく不衛生で騒々しく、幼稚で乱暴な上に言葉の通じない場所だった。

私に言わせれば、私より幼い卯月と私より神経質な兄がそこに馴染《なじ》めないのは当然だった。彼らのことを思うと私は胸が痛んだ。

毎日、授業が終ると私は卯月を迎えに行った。卯月はすでにランドセルをしょって、教室をうろうろしているか、チョークで遊んでいるかしている(卯月はチョークが大好きなのだ。絵や字をかくわけではなくて、ただ触って感触をたのしんでいる。チョーク入れにたまった粉も好きらしく、手にも服にも髪にも思いきりつける)。

「卯月」

声をかけると顔を上げ、私の姿を認めると、ぱあっとあかるい笑顔になる。

「陸ちゃん!」

毎日のことなのに、まるで私が行くと知らなかったみたいに目をまるくして、嬉しそうに声をあげ、ランドセルごと(チョークの粉ごと)突進してきて抱きつく。私の胸に顔をこすりつけて、聞きとれないことを何かぼそぼそと言う。

「何?」

尋ねてもしばらくぼそぼそ言い続け、やがて満足してまたにっこりし、私を見上げて、

「何でもない」

と言う。それは卯月からの手紙だ。一年生の教室に一人でいなければならなかった一日分の、卯月にだけわかる手紙。

「帰ろう!」

私は言い、卯月と手をつないで小学校をあとにする。卯月が待っていてくれたこと、私たちが二人ともまたきょう一日をやりすごせたこと、に喜びをおぼえる。暗くてくさくて陰気な下駄箱のスペースを抜けると、外だ! 私は新鮮な空気をおもいきり吸う。

「きょうはどこにいたの? 何をした?」

校庭を横切りながら訊く。卯月は指をさして教えてくれる。「あっち」「赤いきれいな虫をみつけたよ」「裏門の石段。猫がいるの」卯月は生き物が好きだ。

校門をでてすぐ、私たちは一度だけ振り返り、まだそこに閉じ込められている兄に、同情と激励を込めた挨拶を送る。

想像力に著しく欠ける残酷な小学生たちにとって、私たち三人の「変人」のうちでも、兄がいちばん許容し難い存在であろうことはあきらかだった。私と卯月は、性質はどうあれ、外見的に申し分なく小学生であるけれども、兄は違う。身体《からだ》も大きく、動作がゆっくりで、温和な大人のそれに似ている。父や叔父のおさがりの服を着ており、それはたいてい英国製の質のよいジャケットやブレザーだが、いかんせん流行遅れだ。靴も鞄も大人の男の人のような黒革のものだし、卒業まで間もないからという理由で、体操服も学校の指定のものとは違っている。毎朝百合叔母がきっちりと分け、櫛目《くしめ》をつけて整える髪も、無論まるで小学生らしくない。三度の食事よりも好きな音楽はクラシックだし、強度の近視なのでガラスの厚い眼鏡をかけている。成績はずば抜けて良いに決まっているけれども、運動は苦手で、他人との身体的接触を極端に嫌う。

家のなかでは十二歳の子供であり、八歳の私より子供じみたところがあるのだが、それが小学生たちにわかるとは思えなかった。

「かわいそうなお兄ちゃん」

小学校から帰る道みち、私は卯月とよくそう言いあった。

私たちと家族をめぐる様々な陰口には、「変人」の他に「外人」というのもあった。

それが主に母の風貌《ふうぼう》から来る陰口であることを、私たちは知っていた。ロシア人である祖母本人よりも、混血である母と叔父と叔母の方が、むしろ異国的な顔立ちをしている。肌の白さも手足の長さも、目と眉のせまり方も髪の茶色さも、まつ毛の長さも。

そして、陰口の根拠というか理由づけが、私たち三人の言動というより家そのもの――子供を学校にやらない教育方針だとか、叔父や叔母まで同居している事実だとか、さらには四人の子供たちのうちの二人が父か母の違う子供であるという事情、築七十年近くなる、古い、そしてかなり広い家そのもの――に端を発しているらしいということが、私たちをよりくやしい気持ちにしていた。

兄や姉についてはわからないけれども、私と卯月について言うなら、この年の秋にもし小学校に行かなかったら、よその多くの家には叔父さんや叔母さんが住んでいないということ、「産んだお母さん」と「いまいるお母さん」はたいていおなじであること、子供はたくさんテレビをみて育つこと、などは知らずにいたと思う。

普通だと思っていた。これまでずっと、自分たち家族以外の家族のあり方など、想像もしていなかったのだ。

家で過ごす時間は、それまでよりずっと貴重なものになった。学校から帰って手を洗い、うがいをしてから夕食までの時間と、夕食のあと、寝るまでの時間。前者は静かで、後者は賑やかだ。前者のほとんどを、私は図書室で、卯月は庭で、兄は自室で過ごしている。大人たちは何のじゃまもしない。彼らには彼らの用事があるのだ。やがて家のなかに料理のいい匂いが漂い始める。門灯や、玄関と廊下の電気、階段の途中のランプや、あちこちに置かれた笠つきのスタンド、を母がつけて回るころには、外で働いている大人たちが一人ずつ帰ってくる。戸のあけ方も纏《まと》っている気配も、声も騒々しさも服の色も、それぞれに違っていて、一人帰ってくるたびごとに、家が嬉しげに強くあかるくなることがわかる。

夕食後は大人たちの時間だ。私たちはそばにいてもいいし、いなくてもいい。居間では母と百合叔母がピアノの連弾をしたり、父がレコードをかけたり、桐叔父が祖母を相手にチェスをしたりしている。勿論、彼らだっていつも遊んでいるわけじゃなく、父と桐叔父が仕事の話を何時間もすることもあれば、お客様が来ることもある。でも、私たち子供にしてみれば、そのことに違いはあまりなかった。大事なのはみんながいつもそこにいて、話し声とか笑い声とか音楽とか、仕事の話につきものの緊迫感（ときには）とかが、呼吸できるくらい身近に感じられたこと、そして、それらに守られているように思えたことだ。

「お姉ちゃんは小学校に行かされなくて、ほんと、ラッキーだったよね」

夜、ランドセルに翌日の教科書を入れながら、私はつい姉に言った。大人たちの前では辛うじて持ちこたえているのだが、自分たちの部屋で姉と二人きりになると、本心を隠すことは難しい。

「ほんと。そう思うわ」

姉はいつもとても正直だ。共有の机――ごく普通の木製のテーブル。両側から斜めに向かい合うように坐る――ごしに、同情を込めたまなざしで言った。

「卯月だけを通わせるわけにはいかないっていう、お父さまの気持ちもわかるけれどね。でもそうなると」

姉の言葉を、私は途中でさえぎった。

「ねえ」

息を呑《の》むような声になり、教科書を持つ手も止まった。

「なあに」

「お姉ちゃんって、ものすごくきれいな顔をしてるんだね」

姉をまじまじと見つめて、私は言った。紺色のトレーナーにジーンズ、のばしっぱなしの長い髪に銀縁の眼鏡、おそらくやや重すぎる体重。

「どうして気がつかなかったんだろう」

驚きだった。私はいままで、おしゃれと無縁のこの姉のことを、大好きだけれど外見はさえない、と思っていた。

「ものすごくきれいな顔」

私はくり返した。

「なんていうか、上品だよ」

ふっくらした頬も、大きくてやさしい目も、しょっちゅうドロップをかちゃかちゃやっている口も。

「はあ？」

姉はあきれ顔をした。

「それ、冗談か何か？」

私が返事をしなかったので、姉はそれまでやっていたこと——勉強——に戻った。でも、このとき私にはわかりようがなかったのだ。知っているひとと知らないひと、こわいひととこわくないひと、好きなひとと、好きじゃないひとたち——。


小さな変化やいやな事件は、はじめ学校でだけ起こった。変化は私が最小限しか口をきかなくなったことであり、これは教師をむしろほっとさせたらしく、問題にはならなかった。しかし一方で私はあいかわらず吐き続け、というのもいやがらせが伝染し、いまやクラスの男子の半数以上が、私の顔を見れば排泄物や吐瀉物《としゃぶつ》にまつわる言葉や説明を、演技つきでくりひろげるようになったからで、吐くときにはトイレに行くように、母にも教師にもたびたび言われてはいたが、反射的に込み上げるのだからどうしようもないのだった。事件というのはたとえば兄がある日ロッカー型の掃除道具入れに閉じ込められて、ロッカーごとひっくり返って怪我《けが》をしたことや、卯月が同級生をたたいたことだ。兄の怪我は軽い切り傷で、卯月にたたかれた子は驚いて泣いただけだったとはいえ、どちらも私たちにとっては大事件だった。

叔父や叔母ばかりか、父の決めたことに普段一切口をはさまない祖母までも、「子供たちをひとまとめにして教育するのは好ましくない」と、夕食時に発言した。みんな緊張して成りゆきを見守ったが、父はすこし考えて、「お風呂が熱いのは初めだけだよ」と、小学生三人を順ぐりに見ながら言い、最後に祖父と祖母を見て、「この子たちはいつかこの社会と折り合いをつけなくてはいけないんですから」と、言った。

その父が考え直さざるを得なくなったのは、変化が、学校のなかのみならず家のなかにまで、容赦なく表れ始めたときだったのだろうと思う。

まず、兄が日曜日の午前中に部屋からでてこなくなった。これまでずっと、それは私たちの習慣であり約束であり、それ以上に楽しみであったのにだ。日曜日の午前中は運動の時間と決まっていた。運動といってもマラソンとか体操とかするわけではない。まあ、準備体操程度にはそれもしなくちゃならないのだが、そのあとは素敵なことが待っている。七種類のボールと共に公園でピクニックをしたり、父の手製の竹馬に乗ったり。

それぞれの年齢に応じて、自転車を買ってもらえたりもした。プールに行くこともあり、テニスをすることもあった。指揮は父がとったが、たまに叔父も助手として加わり、そうすると物事はさらにおもしろくなった。父も叔父も、スポーツをとても広い範囲でとらえていて、観戦も立派な勉強だと考えていたし――その場合、運動の時間は午前中ではなくて、午後もしくは夜に延期される――、地図を見て宝さがしをするゲームや、走ることと静止をくり返す鬼ごっこに、にらめっこを加えたゲーム――卯月のお気に入り――をすることもあった。

「大切なのは」

たとえばそのゲームで笑いすぎたり走りすぎたり、たいていはその両方なのだが、最後にとうとう地面につっぷしてころがり、息をあえがせていると、父や叔父は言ったものだ。

「くたくたになって、自分の手とか足とか、皮膚とか頭とかを、感じることなんだよ」

私と卯月は笑いすぎて起き上がれず、地面の固さと土の匂いをいやというほど味わって、自分の呼吸が耳の中で聞こえることに驚いてしまう。仰向《あおむ》けになれるのはすこし落着いてからだ。空が見えて、無数の葉をつけた木の枝が風に揺れるのも見える。そうするとやっと、空気が十分に吸えて、自分の肺がそれをちゃんと取り込むのを感じる。

「ようし」

私たちの胸とお腹《なか》が波打っているのを見ると、父も叔父も満足そうに言った。

「立派な内臓だ」

それを聞くと、私も卯月もくすくす笑った。

また、叔父は最近兄にだけ、モータースポーツと称して自動車の運転を教えていた。勿論本当の道で運転させるわけではなかったが、各部の名称や操作法を教え、駐車場で実際に試させたりしていた。兄は嬉しそうだった。エンジンルームの点検をするときなど、いっぱしな口ぶりで叔父に意見したりしていた。

それなのに、なのだ。それなのに、兄はある日もう運動に参加しないと言った。そんなのは幼稚だし、自分はすでに学校で体育をやらされているのだから、これ以上運動などしなくてもいいはずだ、と。

「何すねてんだよ、光一。行こうよ、いい天気だぜえ」

叔父は誘ったが、父は誘わなかった。

「来たくないなら来なければいい」

とても怒った顔をして、でも静かにそう言っただけだった。

私に関する変化は、家庭教師が復活したことだ。私が両親に頼んだ。両親は相談し、その結果歴史と英語だけ、以前とおなじ先生がみてくれることになった。

「学校のお勉強も真面目にするのよ」

母にそう言い渡されたとき、私は、

「どっかーん」

とこたえた。母がなんにもわかっていないと思えたからだ。

そして、誰も気づかないうちに、卯月も変化していた。我家で、祖父の時代からずっと外まわりの仕事をしてくれている荒木さんが、父にこっそり注進したのだった。坊ちゃんが、びっくりするほど乱暴な言葉を使うようになった、と。荒木さんをびっくりさせた言葉というのは「くそじじい」とか「てめえ」とか、「ひっこんでろ」とかいうものので、それを聞くと父も母も仰天した。私と兄が、すぐに書斎に呼ばれ、事情を訊かれた。一体どういうことなのか、卯月はいつからそんな言葉を使うようになってしまったのか。

訊かれても、私にはこたえられなかった。卯月がそんな言葉を——私にであれ、他の子供たちにであれ——使うのを聞いたことはなかった。そして、まさにその点こそが、父を心配させたのだと思う。おもてではなく自分のテリトリーである庭で、家族でも友達でもなく荒木さんという老人に対してだけ、乱暴な言葉を使ったという事実。

私にとっても、それは信じられないくらい衝撃的な事実だった。

「陸ちゃん！」

授業が終り、私が迎えに行くと嬉しそうに声をあげ、全身で突進して抱きついてくる卯月なのに。

十二月になっていた。小さな変化と小さな事件。でも、おそらくそれは、すでに十分なことだったのだろう。

水曜日だった。社会科の授業中に教室のうしろの戸があいて、大人が四人入ってきた。父と母、それに祖父と麻美さんだった。私は心臓が喉元《のどもと》まで跳ねあがってしまった。祖父は三ツ揃いの背広姿でステッキをつき、帽子まで携えていた。父は普段着だったけれども、背が高く姿勢がいいので堂々として見えた。麻美さんは白いセーターにジーンズで、腕に茶色いオーバーをかけていた。母は茶色い髪をシニヨンに結い上げ、今朝着ていた服とは違う、白いブラウスにグレイのカーディガン、幾何学《きかがく》模様のついた紫のスカート、という恰好になっている。ほんの一瞬ふり返っただけで、私はそれらすべてを見てとった。私にとっては見馴れたものだったから。大人四人は、でも、暖房のきいた朝の二年生の教室に、なんてそぐわなかったことだろう。彼らは異物だった。違和感そのものとなって、そこにいた。

教師が軽く会釈をしただけで授業を続けたところをみると、あらかじめ知らされていたのだろう。知らされていなかった私は動揺し、努力して黒板を見つめてはいても、何も耳に入らなかった。背中に、そして教室のうしろに、どうしても意識が集中してしまう。

四人は随分ながいことそこに立っていた。祖父のから咳《ぜき》がたびたび聞こえた。

やがて戸のあく音がして、四人は静かにでて行った。

休み時間になるやいなや、私は兄の教室に駆け込んだ。

「お父さまたち、来た？」

尋ねると、兄はうなずき、

「何だろう」

と、不安そうな顔をした。小さな机と椅子のあいだに、窮屈そうに身を置いている。傍《かたわ》らには、大きな黒い革の鞄。私は兄の教室に来るたびに、この鞄がつねに兄の足元にひかえて、兄を守る忠犬であるみたいに感じる。

「パトラッシュ」

それでそう呼んでなでることにしている。鞄をなで終えた私は、卯月を探しに校庭に駆けおりた。すると、そこに彼らがいた。下駄箱のすぐ外側、屋根のついた渡り廊下に。

「何してるの？　どうして学校にいるの？」

尋ねながら、私は自分の心臓がまたどきどきしているのを感じた。校舎の外にでてもなお、四人は強烈な異物感をかもしだしている。

「こんにちは、陸ちゃん」

麻美さんが言った。

「授業参観だよ」

微笑んで、父がこたえる。隣で母が、

「いまは校庭で遊ぶ子供たちを見ているところ」

と、補足する。

「賑やかだな」

祖父が言った。

「卯月に会った？」

私は母に訊いた。

「会うも何も、校門のわきにいたもの」

会話はなんとなくちぐはぐなまま、誰も動こうとしないので、私たちは渡り廊下にただ立っていた。

「陸子をいじめてるっていうのはどの子だ？」

校庭に目を据えたまま祖父が訊き、訊かれてもこたえられなかった私は、上履きをはいたままの足元を見た。はきかえずにとびだしてしまったのだ。すぐ目の前に、四人がいたから。

「きょうは吐いてないの？」

母の質問に、私は笑顔でこたえた。

「うん。まだね」

校門の方から卯月が駆けてきたとき、私はいつものように受けとめる準備をした。足をひらき、やや前かがみになって、弟の体重によろけたり転んだりしないように。

卯月が体あたりしたのは、でも、麻美さんだった。ジーンズに顔を埋《うず》め、砂だらけの両手で麻美さんの太腿《ふともも》を抱える。麻美さんは笑って、片足に卯月をくっつけたまま、ふざけて歩く真似《まね》をした。大きな口と、短い髪。もともと背の高い麻美さんは、踵《かかと》の高いブーツのせいで、なおさらのっぽでがっしりと見える。

「つぎの授業は教室で受ける？」

長い指で卯月の頬をつつき、何か楽しいことに誘うみたいに、麻美さんは言った。

「どんな授業か、見に行くから」

卯月は考える顔をした。でもすぐぐしゃっといやな顔になり、

「行かない」

と、こたえた。

「きょうはママうちに遊びに来るの？」

そんなことより、と言わんばかりの口調で卯月は続け、期待を込めた眼差《まなざ》しで母親を見上げる。

「それはまた今度ね」

片足に卯月をくっつけたまま、にこやかに麻美さんは言った。


二週間後に、私たちは三人とも小学校を「辞めた」。終業式のあった日に父の書斎に呼ばれ、もう学校に行かなくてもいいと言い渡されたのだ。

「ほんとう？」

歓喜の声をだしたのは私で、兄と卯月は何も言わなかった。

「ほんとうにいいの？」

にわかには信じられない。私は父の顔を、くいいるように見つめた。そこに悲しみや失望の色が浮かんでいないことを確かめたかったのだと思う。

「ほんとうだよ。お前たちに嘘を言ったことなんてないだろう？」

父の表情には悲しみも失望もなく、かわりに安堵《あんど》と微苦笑があった。

「もう学校に行かなくてもいいの？」

卯月が私に訊き、私は弟を抱擁したいくらい嬉しい気持ちになりながら、そうよ、とこたえてうなずいた。

書斎をでる段になってやっと、それまでひと言も発しなかった兄が口をきいた。

「ありがとう」

が、その言葉だった。

こうして私たちはそれまでの生活に戻った。朝食は子供たち四人が一緒に摂り、平日は毎日家庭教師の先生が二人やってきて、昼食と休憩をはさんで午後二時くらいまで勉強し、あとは夕食まで自由に遊んでいていいという生活、規則正しくて懐かしい、気持ちのいい生活に。

一見、何もかも元通りに見えた。午後のほとんどを私は図書室で、卯月は庭で、兄は自室で過ごしていたし、勿論私はいきなり吐いたりせず、卯月も乱暴な言葉は使わず、兄の部屋からはモーツァルトやチャイコフスキーといった彼の好きな音楽の、美しい旋律がきこえてくる。

でも何かが変ってしまっていた。小学校以前と小学校以後。たった三カ月で！たとえば、兄は以前ほど私たちと遊んでくれなくなった。日曜日の「体育」にはまた参加するようになったものの、竹馬とか鬼ごっことか、主に私と卯月のためにされる、「種目」には非協力的だった。そういうとき、叔父はすこし兄を責めた。

「大人げないなあ。光一、小学校とか行って幼稚になった？」

兄は何も言わず、ただそこに立って私たちが遊ぶのを見ているのだった。

大人たちの目には、私と卯月は変っていないように見えたかもしれない。私たち二人に関しては、どこがどう、と言えないくらい微妙に、それでもどこかがあきらかに違っていた。しかもその変化は、私たちにではなく私たちの見ている世界に、起きたようなのだ。

　窓の鳩のこともそうだ。窓の鳩、というのは朝食室の窓の上部のステンドグラスの模様で、白と青と緑の三羽いる。私はその鳩たちが大好きで、毎朝心のなかで「おはよう」と声をかけていた。晴れた日は日ざしを浴びて、雨の日は雨足を透かし見せながら、窓の鳩はいつもそこにいた。小学校に通っていた三カ月のあいだ、私は鳩のいる窓ガラスを見ても浮き浮きした気持ちにはならなかった。これから学校に行かなくてはならないのだと思うと気が沈んで、黙々とお皿の上のものを口に運んだ。鳩たちはただのガラスの模様にしか見えなかった。

　もう学校に行かなくてもよくなったのだから、私はかつて見た鳩たちに再会できるはずだった。白と青と緑の、一羽ずつ表情の異なった、いまにも飛び立ちそうにいきいきして、美しくかわいらしかった鳩たち。

　私の目には、でももうそうは映らなかった。鳩の模様のステンドグラス。そう見えるだけだった。

　終業式のあった日――というのはつまり、もう学校に行かなくてもいいと父に言い渡された日――の夕食のとき、私はテーブルについていても落着かなかった。小学校からの解放は嬉しかったけれども、どこかに敗北の気持ちがあったのだと思う。私たち三人はうまくやれなかった。誰も口にださなかったけれど、それは事実だった。

「よかったじゃん、乾杯しようよ」

食堂全体に漂っていたぎこちない空気を払拭《ふっしょく》しようとして、桐叔父が提案した。私たちはそれぞれの飲み物を掲げたが、何に乾杯していいのかわからなかった。

「お帰りなさい」

百合叔母は言い、

「生還した冒険者たちに」

と、桐叔父は言った。私は何も言わなかったけれど、たぶん敗北に乾杯したのだっただろう。

「みじめなニジンスキー」

祖母が、いたわるような口調で父に言った。

「かわいそうなアレクセイエフ」

父はにやりとし、低い声でつぶやいた。

その晩、私はお風呂のなかで、生れてはじめて自分の家のことをすこし心配した。姉と卯月のことを。卯月には麻美さんというもう一人のお母さんがいて、姉には岸部さんというもう一人のお父さんがいる。それがもしありふれたことではないのだとしたら、卯月や姉には、これから何か嫌なことや困ったことが起こるのではないか。漠然と、そう思った。

母と二人で入っていたので、お湯は私にはすこし熱かった。まるい浴槽のなかで膝立ちになり、額に汗がにじんで前髪がはりつくのを感じながら、できるだけ身動きしないようにじっとしていた。洗い場で丁寧に爪先をこすっている、母の白い背中。

「陸ちゃん、肩までつかって十数えて」

浴室で、母の声はうるんで聞こえる。

「でたらかわりに卯月を呼んで」

はい、と、私はこたえた。熱いのをがまんして、肩までゆっくりお湯に沈んだ。


とはいえ小学校からの解放は、すばらしいことだった。生活ではなく勉強に関してさえ、家のなかで家庭教師に監督されながらするほうが、私にはずっとおもしろかった。先生は全部で三人いた。三人が交代で二人ずつやってくるのだ。英語のミズ・ウォレスと、歴史の野村さん、それに、その他の教科の迫田《さこた》先生。野村さんがさんづけで呼ばれるのは、祖父の旧《ふる》くからのお友達で、家庭教師をお願いする前から、よく遊びに来てくれていた人だからだ。元大学教授の野村さんは、祖父よりは幾つか若いらしいのだが、皮膚がたるんでしわだらけで、祖父よりずっと年上に見える。

「歴史で大切なのは、点と点を縦に結ぶことだよ」

野村さんは言う。たとえば平安貴族が蹴鞠《けまり》という遊びを好んだことを説明してくれているとき（その鞠は私たちの知っているゴムではなく、動物の皮でできていたそうだ！）、いきなり、

「そのとき中国の皇帝の厨房では、特別なごちそうが用意されていた」

と言ったり、

「あたかもそのときオランダのある村では、一人の男がしばり首にされようとしていた」

と、言ったりする。物事はあちこちでいっぺんに起こっている。点と点を縦につなぐ、というのはそういうことなのだろうと思う。そして、縦につながった点と点は、もちろん横に、「おそろしい勢いで、絶対的に」流れていく。誰にも止められない。

「いまこの瞬間も、歴史の一部なんだよ」

野村さんは言う。野村さんの口はいつも仁丹《じんたん》の匂いがする。遊びに来るときはセーターにずぼんなのに、授業のときは背広を着ている。ポケットに、ちゃんとチーフをはみださせて。

いまのところ、どの授業も、私と卯月が一緒に、兄と姉が一緒に受けている。だされる宿題は別々だし、読まなくちゃいけない本も別々なのだけれど。小学校について、先

生たちは三人とも何も訊かなかった。質問もなし、意見もなし。まるで、あの三カ月はただの休暇だったみたいに。

そして、きょう、お正月がきた。晴れた、清々しい元旦。恒例のお餅つきは十一時からと決まっているので、それまでのあいだ、私は晴着のワンピース姿で、図書室で本を読んでいる。

祖母と母と叔母は、朝からずっと台所だ。お正月は、家のなかが普段と違う匂いになる。普段と違う料理の匂い、普段と違う食器の――というより食器のしまわれていた箱や薄紙の――匂い、普段と違う空気の匂い。

兄と叔父は、初詣《はつもうで》を兼ねたドライブにでかけている。

お書き初めは二日の夜で、お客様がみえるのは三日の昼と夜。四日からは何もかもいつもどおり。我家では毎年そう決まっている。

足音がする、と思ったら、卯月が笑いながら飛び込んできた。きゃきゃきゃ、と聞こえる笑い声と共に、窓台に坐っている私の足元に倒れるようにくっつく。息が弾んでいた。すぐに姉が入ってきた。

「卯月ー」

くすぐる真似をしながら、小走りに近寄ってくる。私は災難を避けようと、膝を引き上げて窓にべったり身を寄せた。卯月の興奮はもうピークに達している。姉の手がまだ触れてもいないうちから、体をはげしく振り、耳を聾《ろう》するばかりの奇声を発し、笑い叫ぶ。椅子にぶつかり、本箱にぶつかる。

どうすればこんなに嬉しそうに笑い転げられるんだろう。

卯月を見おろしながら私は思った。緑色のタートルネックセーターに、紺のブレザーの上下。卯月も晴着を着せられているが、おもてで遊んだあとらしく、緑色のハイソックスにはすでに泥汚れがついている。

「陸ちゃんタッチ、タッチ」

あえぎながら、私に片手をのばしてくる。

「残念でした。陸ちゃんは私の味方だもの」

姉の言葉に、卯月は悲鳴とも歓声ともつかない声をあげた。床に転がったまま、笑いながら身をくねらせ、手足をふりまわして姉に反撃を試みている。

休み時間の教室のなかで、一人だけランドセルをしょって所在なさげに立っていた卯月の姿を、私は思いだした。机の下にもぐったきりでてこなかった卯月を、裏庭のうんていの下の土を一日じゅう掘り返していた卯月を、思いだした。

「タッチ」

私は姉と手を打ちあわせ、くすぐる役を交代した。体温の高い、ぽっちゃりと太った、笑いまくっている卯月に触りたかったのだ。

「いやだー。陸ちゃんいやだー」

笑いすぎで暴れすぎの卯月は、いまや呼吸困難を起こしかけている。窓から入る日ざしは暖かく、図書室は書物と古いものたちの匂いだ。

「一体何の騒ぎ？」

母がやってきて、私たちは三人とも動きを止めた。動きを止めても、卯月は一人でまだくすくす笑っていて、その卯月の低い鼻や、赤みがさし、乾燥しているように見えるほっぺたや、黒く長いまつげに日があたっていた。敗北してよかった。そのときふいに――そしてやっと――、私は心からそう思えた。

「庭にでなさい。光一も桐之輔《きりのすけ》も帰ってきたわよ」

母がまだ言い終らないうちに、私たちは庭に突進する。廊下を走り、玄関に母が活《い》けた屏風形《びょうぶがた》花器の水仙にぶつからないよう気をつけながら、靴をはくのももどかしく、ドアをあけ、おもてに飛びだした。

「上着を着なさい。外は寒いでしょ」

うしろで母の言うのが聞こえた。

いつもの位置に、たっぷりと濡らした臼《うす》と杵《きね》がもう準備されている。祖父のための籐《とう》椅子《いす》がだされ、その傍らのテーブルには、紙コップや紙皿や、お茶のやかんが置かれていた。その場にいる人たちを、私は順繰りに眺める。兄と桐叔父は夏みかんの木のそばに立っている。夏みかんのくせに、この木はいつも真冬に実をつけるのだ。ぽかぽかとまるい、大きな、黄色い実がたくさんなっている。毛皮の半コートを着た桐叔父は、木にもたれて煙草を吸っている。シャーロック・ホームズみたいなケープつきのコートを着た兄は、手振りつきで叔父に何か話している。日陰になった壁際には父と祖父がいて、家のその部分にだけ這《は》わせてあるツタの、葉をひっぱったり裏返したりしてみている。隣家のシズエさんもいた。彼女はうちの祖母の親友で、いまは卯月と両手をつないでいる。「せっせっせ」をするみたいに。母が私と姉のために上着を持ってでてきた。母自身は、セーターにスカートという軽装なのに。風はつめたいけれど、空気には真昼のあたたかさがある。百合叔母が、シズエさんのためにピアノの椅子を持ってでてくる。そして祖母が、湯気の立つもち米と共に登場した。

つくのは父と叔父の役で、まぜるのは祖母の役だ。ぺたんともぱちんとも聞こえる張りのある音と、合間にみんなが送る声援。でも賑やかというふうではない。空が高すぎて、周りの家が静かすぎるので、それはなんだか奇妙なざわめき、発散されないエネルギーみたいな感じで、ただそこにとどまっている。

卯月の合いの手は可笑《おか》しい。

「打てー、打てー」

と言うのだ。すこし離れた場所に、すずめが集ってくる。父がセーターを脱いだとき と、叔父がコートを脱いでランニングシャツ姿になったときには、笑い声と拍手が起こった。

つきあがったお餅をちぎるのは母と百合叔母の役だ。紙皿にのせたお餅をみんなに配るのが、私たち子供の役。

「空が青いねえ」

つるんとした、温かいお餅を口いっぱいにほおばって姉が言い、卯月が同意のしるしに片足をどんと踏みならした。

学校に通わせないという両親の教育方針を、岸部さんはどう思っているのだろう。姉の顔を見ながら私は思った。たった三カ月で学校を辞めてしまったことについて、麻美さんはどう感じているのだろう。

でもここでは——。立ったままお餅を食べている人たちを見まわしながら、私は心のなかで続けた。でもここでは、みんなこれでよかったと思っている。とくに母は。

この二週間、母は目に見えてほっとしていた。表情もあかるくなり、減っていた口数も戻った。

「ハンカチの刷り物を見たときから、私は不吉な気がしてたのよ」

そんなふうに言ったりもした。ハンカチの刷り物、というのは一年生の保護者に入学時――卯月の場合は編入時――に配られるプリントで、生徒に持たせるハンカチの折り方――六つ折り――が図解されていて、それを服に安全ピンでとめてくるように指示されていたという。母は仰天した。そんなことをしたら使いたいときにすぐ使えないし、安全ピンには針がついているのだから危ない。私たちは知らなかったが、そのことについて母は父と夜遅くまで話しあったらしい。結局、父が安全ピンの針の先をつぶし、さらに火であぶって丸くした。母は毎朝そのピンでハンカチを一枚卯月の服にとめ、それとは別に、使うためのハンカチを持たせていた。

「菊《きく》ちゃんは融通がきかないからな」

その話を聞いて叔父は笑ったが、

「融通がきかないのは学校の方でした」

と、母は断言してはばからなかった。

「そりゃあそうだよ。学校にそんなもの求めちゃいけないよお、世間知らずだなあ、もう」

あのとき叔父は、母の肩をぽんぽんとたたいた。茶化すように、でも、同時に理解を示すように。

私の部屋には、学校用に揃えた道具がまだ生々しく置いてある。習字道具のセットとか、たて長の笛とか、ランドセルとか。それらはそこで、とても奇妙に、居心地が悪そうに見える。異物であることを知っているみたいに。あの日学校にやってきた、父と母と祖父と麻美さんみたいに。

「陸ちゃん、お台所から大根をもっと持ってきて」

母が言い、私は「はあい」とこたえた。いいお返事。学校で、担任の先生に、そういえば一度だけそうほめられた。

「ちょっと持ってて」

私は紙皿を兄に渡した。お餅をのみこみ、玄関前の階段を駆けのぼった。ドアをあけ、しんとした家のなかに入る。うす暗いなかに、水仙の匂いがたちこめている。よく雑巾がけされた廊下、明り採り、階段の手すり――。私たちの家だ。

# 2　一九六八年　晩春

いったいどんな顔をして行くべきなのだろう。こんな目に遭わなくてはならないような、いったいどんな悪いことを、私がしたというのだろう。

曇り空だ。午《ひる》近いというのに、台所は薄暗い。テレビの音。千春《ちはる》の好きな子供番組を、岸部がおそらく千春を膝にのせて、見せてやっているのだろう。幼稚な音楽と声優のつくり声にまじって、二人がときどき笑ったり、セリフをくり返したりするのが聞こえる。夫と娘のその親密なやりとりを意識の隅でとらえながら、私は米を研《と》ぎ、味噌汁《みそしる》のだしをひき、漬物を切る。

一緒に行く、と決めたのは私だ。そうすべきだと知っている。岸部が、自分一人で行くべきだと考えているとすればなおさら。

午後四時。それが、柳島菊乃《やなぎしまきくの》という女と岸部が相談して決めた時間だ。私たちは、三時には家をでることになるだろう。まず近所の友人の家に千春をあずけ――ああ、彼女がぐずらないでいてくれるといいのだけれど――、地下鉄を乗り継いで、柳島一族の住む家に行く。

この日を、私はずっと恐れていた。

「子供が生れたら会いに行きたい」

岸部に、そう言われて以来。


岸部と私は、知人の紹介で出会った。所謂《いわゆる》見合い結婚だが、この人について行こうと決め、役所に届出をして、双方の両親と紹介してくれた知人だけを招いてささやかな食事会をし、そのあと新居であるアパートに二人で帰りついたときには、嬉《うれ》しくて誇らしくて、涙がでた。まだ荷ほどきもしていない狭い部屋のなかで、私が終生の伴侶となった挨拶《あいさつ》をすると、岸部は照れたように笑って、それでもきちんと正坐《せいざ》をし、こちらこそよろしく、と、頭をさげた。

まじめ一方の、やさしい男。背が高く、痩《や》せていて、豊かな髪を横分けにして、きっちり櫛目《くしめ》をつけているところも好もしく思えた。結婚前のデートはたいてい彼の職場に近い数寄屋橋《すきやばし》で、そんなところを歩いていれば知人にばったり会ってしまうかもしれないというのに、ちっとも構わず、馴染《なじ》みの店などによく連れていってくれた。屋台のおでん屋とか焼きとり屋とか、背広姿の男の人しかいないような場所に、彼に連れられて行くのは得意な気持ちになることだった。

瑞江《みずえ》さん、と、おずおずと私の名を呼ぶときの、彼のやさしい声を憶《おぼ》えている。最初のアパートの家賃は四千八百円だった。いまでもそうだが、岸部はいつも、給料袋の封も切らずに持ち帰ってくれる。ボーナスがでれば、すき焼きや私の好きな洋食を奢《おご》ってくれたし、大きな会社につとめているという信用で、銀行から借金をしてこの家を手に入れてくれた。夏のお休みなどに岸部の実家に帰っても、私が一昔前の「嫁」みたいに立ち働かなくてすむよう気をつかってくれる。

結婚してまもないころ、アパートの窓から蠅《はえ》がとびこんできたことがあった。夏で、ちょうど炒めものをしていたせいで、部屋のなかはうだるように暑かった。蠅は大きくてしつこく、耳ざわりな羽音をたてて部屋じゅうをとんだ。私が蠅たたきを手にして台所をとびだすと、それまで背をまるめて足の爪を切っていたらしい岸部がおどろいたように私を見た。そして、

「ぼくがするからいいよ」

と、言って微笑《ほほえ》んだ。ティッシュを一枚とり、蠅の動きをしばらく目で追ったあと、岸部はゆうゆうと、苦もなくそれに近づいて、壁にとまったところをそっと包むようにとって、窓の外に放した。蠅一ぴき殺さないような人、というのが本当にいるのだと、私は感心した。そして、こんなにやさしい男性を夫に持てたことを、しみじみありがたいと思ったものだった。

五年目にしてようやく千春を身籠《みごも》ったとき、流行《はや》っていた「こんにちは赤ちゃん」のレコードを、いそいそと買ってきた岸部には笑ってしまった。歌っている若い女性歌手を、夫は、「ちょっと瑞江さんに似ている」と、言ったりした。私たちは、いま千春と岸部がテレビをみているそのおなじ部屋で、夕食のあとなどに、よくそのレコードを聴いた。

千春はすばらしい赤ちゃんだった。私は、この世に自分ほど幸福な女はいないと思った。岸部がそばにいてくれる限り、家事も育児もすこしも苦にならないどころか、ひたぶるに喜びだった。

社会にでて働きたいと願う女性がどれほど増えたのだとしても、私にとって大切なものはおもてにはない。でも、岸部にとっては違ったのだ。

柳島菊乃という女に、私はこれまで直接会ったことはない。会ったことはないけれども、社会にでて働きたいと願った女性の一人であることは知っている。家出をし、自分の居所を七年間も両親に隠していたという。岸部の言を信じるなら、裕福な家に生れた自由闊達《かったつ》な才媛で、岸部の働く新聞社にアルバイトで採用されたのも、さる有力者の口ききがあってのことらしい。「することは不良のようなのだが、性質は決して不良ではない」というのが、岸部の菊乃評だ。「ともかく破天荒なんだ」岸部はそうも言った。

「彼女といると、驚いたり感心したりすることばかりだった」そして二人は「愛人ではなく友人」になり、彼女は友人である岸部の子を身籠った。

あいた口のふさがらない話だった。愛人と言われた方が、よほどましだ。おまけに岸部は捨てられたのだ。私に話してくれたのは、二人の関係が終ったあとだった。「自由闊達な才媛」は、アバンチュールを愉《たの》しむだけ愉しんで、妊娠したことに気がつくと、妻子持ちの男など捨てて、あわててお家に帰った。そういうことだ。

切り終えた糠漬《ぬかづけ》を器に盛る。きゅうりの緑、なすの藍、キャベツの白、みょうがの薄紅。漬物の色の冴え方で、夏の近いことがわかる。

岸部は子煩悩で、千春をよく可愛《かわい》がる。私にも私の両親にもやさしい。浮気など、ついぞ疑ったことはなかった。

事情を聞かされたのは半年ほど前だ。私は岸部に台布巾を投げつけて、悔しさのあまり泣きじゃくった。何も知らず、こんなにいい旦那さんと娘に恵まれて、ありがたいだの幸せだのと、日々感謝していたとは何とお目出度《めでた》い女なのだろう――。そして、それでも私の大事なものはみんなここにあるので、私はその気持ちをまッ正直に岸部にぶつけるよりなかった。

懲《こ》らしめのためにしばらく実家に帰るという手も頭をかすめないではなかったが、それも愚かしく思えた。

「ほかに好きな女ができたというのなら、なぜそのときに言ってくれなかったの？」

私は詰《なじ》った。

「私を何だと思っているの？　追いすがるとでもお思いなの？　まったく腹の立つ」

詰ってはしゃくりあげ、しゃくりあげてはまた詰った。

「もしその女が妊娠しなかったら、このまま黙っているつもりだったんでしょう？　そうなんでしょう？　あなたって人は、ほんとうに不甲斐《ふがい》ない」

岸部はひとつも反論しなかった。はじめに詫《わ》びを口にしたほかは、悪態をつかれるままになっていた。そのことがまた、私を苛立《いらだ》たせ、悲しませ、憤《いきどお》らせた。

「別れたいとおっしゃるなら、すぐにでも別れてさしあげます」

けれど、私の憎悪をほんとうに滾《たぎ》らせたのは、岸部の、そのあとの言葉だった。

「ほんとうに、きみが考えているようなことではなかったんだ」

弱々しく微笑して、岸部は言った。

「ぼくと彼女は友人で、ぼくが彼女を好きなようには、彼女はぼくを好きじゃなかったんだから」

ああ馬鹿馬鹿しい、いまいましい。私の自慢の旦那さんは、女にふられて悄気返《しょげかえ》っているのだ。そうして私は、彼が結局ここに戻ってきたことに安堵《あんど》しているばかりじゃなく、可哀相《かわいそう》で、油断するといたわりそうにさえなっている。

「ごはん、できましたよ」

居間に行き、陽気な声で、私は言った。

「いいわね、千春ちゃん、パパのお膝の上で」

四歳になる千春は、ぽやぽやしたやわらかい髪の毛を、頭のてっぺんで結んでいる。前髪が目にかかると目が悪くなる、と、岸部が心配するからだ。

「パイナップル、もう食べられる？」

テレビの上に置かれたそれを指さして、千春が訊《き》いた。岸部の出張土産のパイナップル。舌を刺すような甘さを想像し、私はつい眉をひそめた。

「それはあしたかあさってにね」

なだめすかすように言うと、千春は素直にうなずいて、岸部の膝からすべりおりる。


柳島菊乃の生家は、もともと呉服問屋で財を成した曾祖父の建てた家で、豪邸だと聞いていた。大正時代の西洋建築で、設計したのも西洋人だったらしい。

約束の四時より十分ほど早く、私たちはそこに到着した。住所をたよりに、長い坂道をのぼって。曇り空なのに湿度が高く、ツィードのツーピースなど着込んでいた私は、ハンドバッグをかきまわしてハンカチをだし、汗を拭《ぬぐ》わなければならなかった。

低い塀と、重い緑の木々、その向うに家が見える。石積みの壁と白い木造のテラス、壁の一部はツタがおおっている。広い。こんなところに住んでいる人間がいるなんて信じられなかった。隣で岸部が気圧《けお》されているのがわかった。

「行きましょう」

二人で呆《ほう》けたように家を見上げたあと、私は促したけれど足が竦《すく》んでいた。

子供が生れたのは先月で、女の子だったという。望、という名がついたそうだ。何て皮肉な。先方——というのは菊乃とその両親だが——は岸部に、いつでも会いに来てほしいと言い、でも万一それが何らかの意味で不都合であるなら、来なくても無論いっこうに構わない、と言った。私は考えずにいられない。こんなお邸《やしき》に住むような人たちなのだから、お金も沢山あって、きっと家柄だの名誉だのを重んじたりするのだろうに、なぜ不良娘に中絶手術をさせなかったのだろう。大昔から行われていることだ。

門はあいていた。呼び鈴の類がみつからなかったので、中に入り、砂利を踏んで歩いた。左に芝生がひろがっていて、さっきまで回っていたらしいスプリンクラーが、中央にぽつんと置かれている。水滴をたくさんつけた芝生から、ひんやりと土の匂いがのぼってくる。

彼女を責めるようなことだけは言わないでほしい、と、私は岸部に念を押されていた。約束はできません。そのたびにそうこたえた。

石段をのぼると、ようやく玄関についた。やはり呼び鈴の類はみつからず、かといっていきなり戸をあけるわけにもいかなかったので、私たちはそこで情なくうろうろした。柵ごしに身をのりだして、下の庭を誰か通らないかと探したり、窓を見上げて目をこらしたり。

「ごめんください」

意を決したらしく、岸部がよく通る声で言った。私はまた、汗を拭う。

戸があいて、前掛けをつけた中年のお手伝いさんが、私たちを中に入れてくれた。おどろいたことに、にこやかに。

「申し訳ありません。すぐお通しするように言われてましたのに。いま皆さんすぐおりていらっしゃいますから、どうぞこちらに」

玄関の内側は、小さな広間になっている。その先に廊下があり、廊下を進んだ左手奥の部屋に、私たちは通された。

暖炉が切ってある。窓際に置かれた長椅子にも、丸いテーブルを囲むかたちで四つ置かれた肘掛け椅子にも、すべて白いカヴァーがかけられている。

ノックの音がしたとき、私は立っており、岸部は肘掛け椅子の一つに浅く腰掛けていた。私は心臓が跳ね上がる気がし、岸部は椅子から跳ねるように立ちあがった。

「明彦さん？」

声と同時にドアがあき、涼やかな印象の女が入ってきた。ほんとうに、新緑のあいだをぬけてきた風みたいな匂いがした。

「菊ちゃん」

岸部が嬉しげな声をださなかったら、私にはこれが柳島菊乃だとはわからなかっただろう。白いシャツブラウスに、黒と青のチェックのスカート。化粧気がなく、もう三十にはなっているはずなのに、西洋の少女のような顔つきをしている。

「来て下さって嬉しいわ」

岸部の肩を抱き、頰ずりのような真似《まね》をした。ついで私に向きなおり、

「奥さまにもいらしていただけて。はじめまして。奥さまのこと、明彦さんからたくさんうかがっていて、一度お目にかかりたいと思っていたんです」

と、まるでこれが喜ばしい出会いででもあるかのように言い、笑顔で近づいてくる。恐かった。なぜ笑顔でなどいられるのだろう。頰ずりされるのかと思って身がこわばったほどだ。しかし彼女はそうはせず、椅子を手ぶりで示して、

「どうぞお掛けになって下さい」

と、言った。

「いまみんなおりてきますから」

と。

お手伝いさんが、おしぼりと飲み物を運んできた。飲み物はアイスティのように見え

たが、違う変った味がした。果物とニッキ、だろうか。汗をかいたグラスに、氷のあたる音が鳴る。

ドアにまたノックがあり、私の心臓はまた跳ね上がった。

「菊ちゃん？」

声と同時にドアがあき、別の、でもやはり涼やかな印象の女が顔をだした。私と岸部には会釈をしただけで、

「子供部屋にいらしていただきなさいって、お父様が」

と、言った。

「望、あんまり気持ちよさそうに寝ていて、抱きあげるの忍びないからって」

くすりと愉しげに笑う。私と岸部のあいだでは、ここ数週間口にだすことさえ容易ではなかったその赤ん坊の名が、ここでは何と軽やかに、愛情すら込めて呼ばれているのだろう。

途端に、私は予想もしていなかった感情に呑《の》み込まれた。私が岸部を盗《と》られたのではなくて、岸部が赤ん坊を盗られたのだ、という、奇妙にねじれた気持ち、軽んじられた岸部への憐憫《れんびん》。

無論私はその赤ん坊の顔も見たくないが、それでも、岸部の子なのだ。本来なら、一番に岸部が抱きあげるべき子ではないか。

「じゃあ、階上《うえ》にいきましょうか」

菊乃が岸部に言い、私たちは皆、廊下にでた。ぞろぞろと。なんて奇妙なんだろう。これではまるで、赤ちゃん誕生のお祝いにかけつけた親戚かなにかみたいではないか。

「妹の百合です」

階段をのぼりながら、菊乃がもう一人の女を私と岸部に紹介した。

「一目でわかりました。菊ちゃんからいろいろ聞いていたので。大学院で学んでいらっしゃるんですよね」

親しげな口をきく岸部にも呆《あき》れたが、階上から、

「ああ、いらっしゃったみたいよ」

という声が聞こえて、おそらく菊乃と百合の母親と思われる女性がぱたぱたと足袋《たび》の音をたてて現れ――ちょうど階段をのぼりきったところ、そこもまた小さな広間みたいになっているのだが、あせたローズ色の敷物の敷かれた、高い位置にある窓から夕方のうすい光の入るその広間で、私たちは彼女と対面した――、私はさらに驚かされることになった。

「よくいらして下さいました」

岸部ではなく私を見すえ、ふっくらした声音《こわね》でそう言った女性は、和服を着た外国人だった。

子供部屋は、見たこともないほど可憐《かれん》だった。こげ茶色とベージュ、淡いピンクで何もかもが統一されている。小さなベッドは天蓋《てんがい》つきで、周囲の柵は取りはずせるようになっている。まだ乗れもしないはずの揺り木馬の首には、カーテンと共布の、ピンクのタフタのりぼんが巻かれていた。ベージュのシーツに埋もれるように、赤ん坊は眠っていた。傍《かたわ》らに、男性が二人立っている。年上の方が、おそらく百合の言った「お父様」、この家の主人なのだろう。小柄でずんぐりむっくりしており、妙に立派な口髭《くちひげ》をはやしている。

「ようこそいらして下さいました」

口髭が岸部に言い、

「娘がお世話になり、御迷惑もおかけしたようで」

と、まるでそれがもう済んだこと、すっかり片のついたことであるかのようにつけ加えた。岸部を赤ん坊の頭の近くへ誘う。

「さ、奥さまもどうぞ」

和服を着た母親が言った。絹という名だと、ついさっき本人が名乗った。呉服問屋に嫁いだ絹？　不良娘の不義の子の名が望だし、奇妙きてれつな一家ではないか。

私たちはみんなで赤ん坊の顔をのぞきこんだ。揃《そろ》って息をひそめて。

赤ん坊は、この世に憂いなど一つもないとでも言いたげに、やすらかに寝息をたてていた。つきだして、やや開いた唇が濡れている。ふっくらした頬は、しみ一つなく白い。私は自分でも知らないうちに、千春と似ているところを探していた。

「めきめき太ったわね」

楽しそうに、百合が言う。

「生まれたときは標準より小さい赤ちゃんだったのにねえ」

「標準なんてあてになるもんですか」

菊乃がこたえた。やはり、楽しそうに。なるほどね、と、私は思う。不良娘は、標準とか平均とかいうものをばかにして生きているというわけだ。

窓から弱い風が入り、ふうわりと、甘い匂いがした。がたがたと上にガラス戸を持ち上げる方式の、外国映画のなかでしか見たことのない窓だ。どうやって固定するのか、妙な興味が湧いて近づく。外の空気を吸いたかったのかもしれない。見おろすと、こんもりと樹木の茂った裏庭が見えた。何本かの木は、いっぱいに白い花をつけている。甘い匂いはそこから来るのだろうか。

ふいに視線を感じ、ふり向くと絹が私を見ていた。労《いたわ》るような、あたたかいと言っていいような眼差《まなざ》しと表情だった。情況を考えればあかるすぎる姉妹や、男性としか話をしないと決めているみたいな主《あるじ》とくらべても意味はないのだが、この絹という女性だけは、幾らかの良識を備えているのかもしれない。そう思った途端に、張りつめていたものがほどけそうになって、私はあわてて目をそらした。こんなところで泣くわけにはいかない。第一、それは一体何に対する涙なのか。

「桜ですか？」

岸部の声がした。いつのまにか、すぐ隣にやってきていた。

「はい？　ああ、いいえ、杏《あんず》です。今年は花が遅くて」

口髭が窓の外を見てこたえる。桜？　私は人の好い岸部に、無性に腹が立った。わざわざいまここで、無教養をさらすことはないではないか。

私たちはぞろぞろと階段をおり、食堂に案内された。お夕飯をご一緒に、とすすめられたが断ると、ではせめてお八つでも、と絹が言い、そういうことになった。お手伝いさんが、また変な味のアイスティでも運んでくるのかと思ったが、そうではなかった。というのも、食堂に入ってすぐ、

「ではちょっと失礼して、準備をしてまいりますね」

と、絹が自ら言い、

「菊ちゃんはここにいらっしゃいね。百合ちゃんに手伝ってもらえれば、それで十分だから」

と指図して、台所と思われる方向に消えたからだ。

食堂は重厚ながら簡素な造りで、余分なものがなく、整然としていた。最初に通された応接間同様、食卓を囲む六脚の椅子にすべて白い布カヴァーがかけられている。私と岸部は、すすめられるままにならんで腰掛けた。

「新沢豊彦《しんざわとよひこ》くん。菊乃の婚約者です」

口髭が、若い方の男性を岸部に紹介して言った。私は耳を疑った。

「はじめまして」

菊乃の婚約者――ばかに背の高い男だ――は穏やかな笑顔で言い、岸部は立ち上がって、おなじ言葉を相手に返した。

「はじめまして。岸部明彦です」

声の小ささで、私には岸部の動揺が感じとれる。懸命に落着きを保ってはいるが、どうしていいかわからないに違いない。

窓を背にした家長席に口髭が坐《すわ》り、私から直角になる隣に菊乃が、その隣――私の真向い――に婚約者が坐る。ガラス窓ごしに、滴るような緑が見える。

「ほんとうに、お二人にいらしていただけてほっとしました」

菊乃が言い、

「無理にいらしてくださいとお願いできる立場じゃないですから」

と、殊勝げにつけ足す。テーブルに置かれた菊乃の左手に、婚約者が自分の右手を重ねる。かばうみたいに、励ますみたいに。それに力を得たのか、菊乃は微笑み、

「みんな私の勝手でしたことですから、お二人には知らん顔をされても当然です。でも、望はたしかに明彦さんの娘ですから、もし明彦さんが金輪際関わりを持ちたくない、とお決めになったとしたら、望の人生は随分淋しいものになってしまいますもの」

と、続けた。私は仰天する。二の句が継げないとはこのことではないか。望はたしかに明彦さんの娘ですから、とは、言いも言ったり。婚約者に手を握られて、父親の目の前で、別の男とその妻に対して――。

「恥知らず」

私は吐き捨てるように言ってやった。憤怒と軽蔑を込めて。

「瑞江」

岸部が私をにらんだので、私は一層許せない気持ちになった。この部屋にいる誰も彼もが許せない。

「事実を言っただけです」

菊乃を見据えてそう言って、次に岸部に向き直り、

「情ない」

と言葉にした途端に涙が込み上げて、泣きたくなかったので口をつぐんだ。全身が熱

い。唇が、どうしても震えてしまう。

「申し訳ない」

岸部が言ったのと、

「いいえ」

と、菊乃の言うのとが重なって聞こえた。

「いいえ、奥さまのおっしゃる通りです。私は恥知らずではありませんけれども、奥さまがそうおっしゃるのは無理からぬことです。それがわかる程度には、私も世間を学びました」

私には、もう何が何だかわからなくなっていた。一体なぜ岸部が謝るのだ。一体なぜ、この女はこの期《ご》に及んで自分は恥知らずではないなどと言い募れるのだ。

「世間なんぞ学ぶのに、七年もかかったとはな」

口髭が言い、菊乃はぴしゃりと言い返した。

「素晴らしい七年でした」

これ以上ここにいたら頭がどうかしてしまう、と思ったとき、扉にノックがあって、百合と絹が「お八つ」を運んできた。婚約者が即座に立ち上がって手伝う。

「さあ、つめたいうちに召し上がって下さい」

絹が、あきらかに私に向かって言う。上品なからし色の、たすきをかけている。

それは私の知っている「お八つ」とは似ても似つかないものだった。美しいポットに入った紅茶とコーヒー、生クリームののったフルーツポンチのようなものが人数分と、大きなお皿にぎっしりとならべられた小さなパンケーキのようなもの、小鉢に盛られたキャビア、ほかに、ペースト状のものが三種類。

「おいしそうだ」

婚約者が言う。たちまちコーヒーと紅茶の好みが申告され――あるいは尋ねられ――、それぞれの茶碗が湯気と香気の立つ液体でみたされた。賑《にぎ》やかな食卓。でも、たったいま交された父と娘の会話には、あきらかに何かの確執が垣間《かいまみ》見えた気がする。素晴らしい七年でした。そして、その七年間の一部を、岸部が担っていたのだ。

「これはフルクトーブィといって、ロシアの家庭のデザートです」

フルーツポンチに見えるものを指さして、口髭が言った。

「私はこれが好きでね」

私たちが柳島邸を後にしたのは、午後六時をまわってからだった。望は責任を持って育てますから、と菊乃に言われた岸部は、深々と頭を下げた。あいにく日曜日は運転手が休みの日だもので、お送りできずに申し訳ありません、と、絹が言い、あらタクシーを呼べばいいじゃないの、と、百合が言い、いいえそれには及びません、と岸部がこたえ、そのあいだ、私はただ黙ってそこにつっ立っていた。

「ほんとうに、きょうはよくおいで下さいました」

絹が私に言い、丁寧なお辞儀をした。結い上げた髪の、うなじのあたりに白髪がまざっているのが見えた。やや襟《えり》を抜きぎみに、なじんだふうに着こなされた紬《つむぎ》。私はまた泣きたくなった。大声をあげて泣き、このロシア人女性にすがりつきたい衝動にかられた。それでも頭は下げなかった。冗談じゃない。誰が頭など下げるものか。

あたりは夕闇に包まれていた。しっとりした空気が、天上のものかと思われるほど嬉しかった。外の、普通の、空気。

「すまなかった」

門を出るや否や、岸部の声がした。

「きみにこんな思いをさせるつもりではなかった」

私は返事をせず、先に立って足早に坂を下ったが、またぞろ全身が熱くなり、しゃくり上げるのをどうしようもなかった。涙はあとからあとからでた。くやしくてくやしくて、身悶《みもだ》えしながら歩いた。緊張と汗と疲労と悲しみで、よれよれになったツーピース。靴の踵《かかと》が、道路に私の怒りの音を響かせる。

うしろから肘をつかまれた。

「待ちなさい」

その言葉に、私は逆上した。

「待ちなさい？　待ってくれと乞われたって待てないものを、待ちなさいとは何なのよ、偉そうに。あなたは口惜《くちお》しくはないの？　あんな扱いを受けて。婚約者？　どの面《つら》さげてそんなことを言うんだか」

言葉はとめどなく口をついてでた。

「ああくやしい。ああ情ない。あんな恥知らずは見たこともない」

岸部の胸をこぶしで打った。坂道の途中で、大泣きしながら。

「どうして言うなりになっていたのよ。どうしてあんなものを食べたの？　私は何一つ口にしなかったわよ。あたりまえじゃないの」

岸部の手のひらを、後頭部と背中に感じた。そこに力が込められ、強く抱きしめられる。顔が胸におしあてられて、喋《しゃべ》ろうとするとネクタイが口に入った。

「すまなかった。すまなかったよ」

赤ん坊をあやすような、息だけみたいな小さな声が、私の頭のすぐ上で聞こえる。

私は自分が震えていることに気づいた。脚にうまく力が入らない。岸部のシャツもネクタイも濡れていて熱く、私は息苦しさに身をふりほどきたいのにその力がもう残っていない。そして、ようやく泣きやんで腕の外にでたとき、私はいまここで、夕暮れのありきたりな坂道に、岸部と二人で立っているという事実――あのきてれつな家から、とにもかくにも揃っておもてにでてこられたという事実——に胸の底から安堵を覚えた。

帰りの電車は空《す》いていた。ぐったりと座席に腰を掛け、私はもう一生分の涙を使い果たしたような気持ちだった。疲労困憊《こんぱい》して、顔も脚もゆでたじゃがいもみたいにむくんでいた。怒りも悲しみも感じられず、ただ家に帰りたい一心だった。ただ家に帰りつき、千春の顔が見たかった。

「婚約者ははじめからいたんだ」

隣で、岸部がぽつぽつと説明していた。

「僕はそれを知っていて、なお彼女に惹《ひ》かれた。でもきみや千春と、離れたくはなかった。彼女はそれも知っていた」

どうでもいいことに思えた。岸部と菊乃の「友情」がどうやって始まり、どうして「友情」から子が生れたりしたのか、そこに婚約者がいつ登場し、なぜ岸部の子まで引き受けることにしたのか、あるいは、それが本当に岸部の子であるのかどうか、さえ、いまはもう考えたくもない。

「眠いわ」

私は言い、

「すこし眠るといい」

と、岸部がこたえた。数分間、そのまま車窓の闇を見ていた。ならんで坐っている自分たち夫婦が、そこには映っている。ああそうか、眠るには目を閉じなければいけないのだった。そう気づいて目をつぶったら、ヒステリックな笑いが込み上げた。そんなことを忘れるなんて——。くつくつと、小刻みに震える私の肩を、岸部はきっと、嗚咽《おえつ》と勘違いするのだろう。

千春を迎えに行き、三人で家に帰った。小さくてありきたりな、なつかしい我家に。玄関を入ると、岸部の出張土産のパイナップルの、甘く重い匂いに迎えられた。

それから数日のあいだに、私と岸部は幾つかのことを話しあった。まず、私と千春に二度とこんな煮え湯をのませないこと（それは誓うと岸部は言った）。赤ん坊の父親がほんとうに自分なのかどうか強く問い質《ただ》し、無論血液型も調べること（それに関しては微塵《みじん》の疑いも持っていないと岸部は言った）。赤ん坊に会うときには事前にその旨私に知らせ、そのとき以外に菊乃とはもう会わないこと（約束する、と岸部は言った）。ほかにもこまごまと話しあったし、それは愉快なことではなかった。

私は台所に立ち、きょうもまた漬物を切っている。きゅうりの緑、なすの藍、キャベツの白、みょうがの薄紅。会社からまっすぐに帰宅した岸部は、千春を風呂に入れている。午後七時三十八分。ごはんはすでに炊けていて、煮物も味噌汁もできあがっている。

コロッケは丸めてパン粉をつけ、バットにならべて冷蔵庫に入れてある。あとは揚げるだけだ。

岸部は出会ったころからやさしかったし、いまも変らずにやさしい。

私は二度とあの家に足を踏み入れないつもりだ。考えるだに鳥肌が立つ。そしてそれでも、あのときおもてにでた一瞬の、解放感というか現実感は、私と岸部の二人にとって、何か大切な一瞬であったような気がしている。

「煙《けむ》くない？」

たとえば気遣わしげにそう言って、岸部がはじめて行きつけの呑み屋につれて行ってくれた夕暮れの、煙や喧噪《けんそう》やちょうちんの灯と、それは似ていなくもなくて、そんなふうに考える自分に、私はしばしば驚く。

「瑞江さん」

おずおずと、大切な言葉を口にするみたいに私の名を呼んだ岸部と、世界で私一人だけが、あの瞬間を共有した。屈辱にまみれて。

「ママあ」

風呂場から千春の声がして、私はいそいで手をすすぎ、裸の彼女をバスタオルで抱きとめるべく小走りになる。

「はいはい。いま行きますよ」

千春は体のあちこちをピンク色に上気させ、たくさんの雫《しずく》をつけて、ぴょんぴょん跳ねているだろう。

# 3　一九六八年　秋

肌寒い午後だ。海はやわらかな緑色をしている。僕はミントティを啜《すす》り、書き終えたばかりの絵葉書をざっと読み返してみる。いつものように、そこには元気だということしか書いていない。元気で、楽しくやっているということ、まだしばらくは、移動しないつもりであるということ。

日本を離れて一年とすこしになる。安宿に泊りながらアジアの国々をうろつき、病気だの盗難だのといったお決まりの災難を幾つか経験し、トルコを通ってヨーロッパに入った。セウタでは魚市場の下働きとして肉体労働に従事したし、マドリードでは皿洗いをした。一日の食事がパン二つだけ、という日も珍しくなかった。そう聞けば人は、気骨ある貧乏学生の、無謀な放浪の旅だと思うだろう。

実際には違う。銀行に行けば金は望むだけおろせるし、それは僕の稼いだ金ではないが、いずれ、すくなくともその一部を、僕が相続するはずの金だ。パリでもローマでも両親の友人の家に居候《いそうろう》していたのだが、どちらも華麗な邸宅で、夕食時には当然ジャケット着用という生活だった。インドでも、体調を崩してから快復するまでの二週間は、海辺に建つ宮殿のような家に厄介《やっかい》になっていたのだ。寝ているあいだに窒息するのではないかと思うほどふかふかにふくらんだ羽根布団と、銀器で供される病人食と――。

ジャスミンに似た香水の匂いで、声を聞く前にカオサだとわかった。

「こんにちは《ボンジュー》」

地中海訛《なま》りのあるフランス語。カオサは含羞《はにか》んだ笑顔を浮かべ、僕が立ち上がるのを待ってぎこちなく抱擁してくれた。

「空を見た？　雨が降りそうよ」

勢い込んで話す子供みたいに、カオサは言う。つきあい始めて三カ月になるが、まるで初めてのデートみたいに嬉《うれ》しそうにしている。白いシャツにブルージーンズ、肩にかけたピンク色のカーディガン。足首には金色のアンクレットがまきついている。片側だけ耳にかけたまっすぐな髪は、肩下十センチで濃い栗色をしている。僕は椅子をひいてやり、ギャルソンを呼んだ。

「手紙を書いていたの？」

カオサは言い、テーブルの上の葉書をつまみ上げると、まじめくさった顔で、それを読むふりをした。

「日本語だわ！」

お手上げ、という、大袈裟《おおげさ》な仕草をする。おもしろくはなかったが、かわいらしかったので僕は笑った。

「御両親に？」

「姉に」

こたえて、ミントティを啜る。アーモンドの薄切りが浮かんでいる。

「上の姉の方だけど、子供が生れたんだ、すこし前に」

「赤ちゃん？」

カオサは目を輝かせ、それは素敵、と言ってくれた。おめでとう、それは素敵。カオサはまだ十七歳だが、僕の不完全なフランス語に合わせて、わかりやすい単語を選んでことさらはっきり発音しようとする。

「手紙をもらったのはもう何カ月も前なんだけど、転送に次ぐ転送でやっときのう届いた」

カオサはにっこりしてうなずいた。

ほんとうなら、僕はいまごろニューヨークにいるはずだった。ヨーロッパを見たあとでアメリカに行く、というのがそもそも予定していたルートだし、パリから家族あてにだした最後の葉書にもそう書いた。これからニューヨークに行きます、と。そこには僕も知っている両親の友人夫妻が住んでいて、僕の到着を待っていてくれた。

それなのに僕が北アフリカの小国に住みついてしまったことを、カオサは自分のせいだと思っているはずだ。

「風、強くなったみたい」

壁をくりぬいただけの、ガラスのはまっていない窓から外を見てカオサが言う。観光客向けの看板を信じるなら、ここは「世界最古の」カフェだ。高台にあり、眼下に海を一望できる。

「散歩、できるかしら」

「したいのなら」

僕は言い、立ち上がった。

長い石段をおりきると、そこはもう海だ。曇天《どんてん》の下、緑色の水面を、波が白く高く、速く走ってくる。波の音、そして風。僕たちは手をつないで歩いた。白砂の浜に、ほかに人の姿はない。天気のいい日ならそこここに寝そべっている猫も、きょうはどこか屋根のある場所に、避難しているものと見える。

僕たちは何も言わずに歩いた。手をつないでいても砂に足をとられ、歩幅ぶん遅れる彼女を待つあいだだけ僕は振り向き、そうすると、見つめられるだけで嬉しいとでもいうように、カオサははずかしそうに微笑《ほほえ》む。ここは僕たちの出会った場所であり、週に一、二度、互いに会いに来る場所でもある。

抱きしめるのではなく上体をかがめて、そっと唇を合わせた。カオサの髪が風にはためき、僕の頬にぶつかった。

カオサが車を停《と》めていた場所まで来たときには、大粒の雨が降り始めていた。濡れた身体《からだ》で乗り込むとき、女の子が決まって笑いだすのはどういう理由によるものだろう。ともかくカオサは笑いながらギアを入れ、笑いながら車を発進させた。

シディ・ブ・サイドと呼ばれるこの界隈《かいわい》は、条例によって、白と青以外の色の建築物および装飾が禁じられている。白と青だけの街なみに、オレンジの実をつけた街路樹――。カオサはここからほど近い、カルタージュという街に住んでいる。高級住宅地だ。白亜の家々、庭先のオレンジやレモン、春には桜に似た花をいっぱいにつけるアーモンドの木。

彼女の家でタオルを借り、熱い紅茶をごちそうになった。根拠については皆目見当がつかないのだが、彼女の両親は、どうやら僕を気に入ってくれているらしい。行くたびに歓待され、キリ、キリ、と親しげに名を呼ばれる。週末にはたびたび夕食に招いてくれるし、彼女の部屋で二人きりになることにも、何ら不興気《ふきようげ》な顔はしない。

「私を信頼してくれてるの」

カオサは言うが、二人きりになるやいなや、無論僕たちは抱きあい、そのままベッドにもつれこむ。

雨――。この国の雨は粒が大きく、降るとなったらたっぷりと、ながながと降る。陰《いん》鬱《うつ》な雨だ。大学入試の資格試験を控えているカオサのベッドサイドには、辞書や参考書が積み重ねられている。

タクシーを呼んで帰った。僕の借りている家は、カルタージュからかなり遠い。窓外の景色も、白い街なみから灰色の街なみへ、やがてカエルのつぶれたぬかるんだ土道へと変化していく。

この家を借りたのはカオサと出会った直後だったが、家を借りたこととカオサとのあいだに因果関係はない。アメリカに行きたくなかったのだ。すくなくともそのときには、まだ。北アフリカにはそれまでにもセウタから船で何度か遊びに来ていたし、荒涼とした風景も、働く気のまるでなさそうな、暗い目をしたこの土地の人々の態度も気に入っていた。こわい、と言ってカオサの避ける類の人々だ。褐色の肌と気怠《けだる》げな動作、めったに打ちとけない心と、世にも美しい笑顔を持ったオトクトンヌ《原住民》たち。

ドアのない玄関には、赤い布が一枚ぶらさげてある。それをくぐって中に入ると、ひんやりした黴《かび》のにおいに迎えられる。

僕はステレオにワグナーをのせた。海に面してぽつんと建っているこの家では、ステレオのヴォリウムをどれだけ上げても、誰の迷惑にもならない。ソファに横になり、音楽に身をまかせた。手足が重く、心地よく怠い。カオサの、やわらかな身体の感触を思いだそうとしてみる。肌そのものみたいに彼女に馴染《なじ》んだ、ジャスミンの甘く清潔な匂い。

姉が子供を産んだということが、何かとても遠いことに思えた。いまの僕とはまるで関係のないことのように。

僕には姉が二人いる。どちらの姉とも仲がいいが、とりわけ上の姉とは昔から気が合った。菊乃というのがその姉の名前なのだが、子供のころ、僕たちはよく二人でこっそり家を抜けだして、近所を探険してまわった。果物屋のおばさんといっぱしの世間話をして、みかんだのすもものを獲得するのは菊ちゃんの得意とすることだったし、よその子供たちから僕を守ってくれるのも菊ちゃんの役目だった。教育は家庭で施す、という両親の主義で、学校に通っていなかった僕たちはただでさえ好奇の目で見られていたし、わけても僕は、ちびで瘦《や》せで、ときどき女の子の服を着ていたりしたのでからかいの対象になった。女の子の服は姉二人に着せられていたのだが、嫌ではなかった。桐之輔はほんとうにクリーム色が似合う、などと言われ、頭に結ばれたりぼんは誇らしかった。美しい二人の姉の、仲間になれることが嬉しかったのだ。

姉二人はピアノを、僕はヴァイオリンを習わされていたのだが、ヴァイオリンではなくピアノを習いたい、と駄々をこねた僕に、ピアノを教えてくれたのも菊ちゃんだった。

何もかも自分でとりしきらなければ気の済まない性質の父に反発して、菊ちゃんは家をでた。八年前、彼女が二十三で、僕が十五のときだ。

僕ともう一人の姉にだけ、菊ちゃんは連絡をくれていた。アルバイトが決まった、とか、おもしろい人たちと知り合った、とか。父親に反発はしても、結局彼の力で留学している僕とは違い、姉は一切両親に頼らず、七年間一度も家に帰らなかった。家賃が二千三百円の、風呂のない部屋に住んでいると言っていた。精神的に支えてくれる男の友達ができたと書いてきたことがあり、姉は、どうやらその男の子供を産んだらしい。

手紙には、子供は女の子だったと書いてあった。僕の姪《めい》だ。菊ちゃんに似ていれば、きっと美しい赤ん坊だろう。

奇妙に醒《さ》めた感慨しか湧かないのはどういうわけだろう。僕は立ち上がり、グラスに半分ほどウイスキーをついだ。テラス——と言っても屋根のない、コンクリートの四角いスペースなのだが——ごしに、海に降る雨を眺める。女の子でよかったと思った。あの家に長男として生れることがどういうことか、女の子なら、知らずに育つかもしれない。

電話が鳴り、でるとハマディだった。メディナまで繰りだして、一緒に晩飯を食べようと言う。承諾して電話を切った。

一時間後に、ハマディが迎えに来た。

「キリィ、キリィ」

鼻がまがるほど香水をつけ、長すぎる両腕を広げて、歌うように言う。銀行家のハマディ・シキリとは、この街に来て知り合った。妻子持ちだが女好きの気のいい男で、暇なのか始終電話をかけてきて、僕を街に連れだそうとする。面倒見のいい男でもあり、こんなところに一人で住んでいる僕を、放っておけないのかもしれない。

ハマディの愛車に乗り、僕たちは夕食にでかけた。

「雨、雨、雨」

ハンドルを握り、ハマディはまた歌うように言う。頑《かたく》なまでに、陽気な物言いをする男なのだ。そのことに、僕はときどき倦《う》んでしまう。

「このへんのカエルはばかなんだろうか」

ぬかるんだ道の上を、フロントガラスごしににらみながら僕は言った。この光景を初めて見たときには驚いたのだが、カエルはほとんど道いっぱいに、すきまなくうずくまっている。ふとった、黄土色のカエルだ。何匹かは跳ねて逃げるが、たいていのカエルは微動だにせず車の下敷きになる。そして、雨が上がるとからからに乾いて、道の一部と化すのだった。

ハマディは気にしない。

「カエルたち、カエルたち」

歌うように言いながら、ハンドルにおおい被《かぶ》さって、でこぼこの道を進んでいく。

レストランでは、奥の小さなテーブルについた。ろうそくの灯りが揺れるなかで、ワインをのみ、パンとブリックとオジャとオレンジを食べる。フロアでは、三人の男が楽器を演奏し、二人の女がベリーダンスを踊っていた。

日本の女たちについて教えてくれ、と、もう何度も尋ねたことを、ハマディはまた尋ねる。ガールフレンドを呼びよせないのか、と。

「そんな女性はいないよ。もう何度も言ったように。僕はまだ学生だし、社交的な性質じゃないしね」

ハマディは、つまらなそうに首をすくめる。眼鏡の奥の目に、軽い失望と非難の色がよぎった。僕が困惑するのはこういうときだ。この国の男たちはみんな、男同士の内緒事といった類の話を好む。そして僕はそれが苦手だ。

ハマディの質問には特徴がある。質問のあとに、必ず短い意見がつくのだ。「家族はどうしている？　家族は大事だぞ」とか、「日本の政治について教えてくれ。政治について語れない人間を、俺は信用しない」とか。ハマディのフランス語は、なめらかで淀みがない。

「カオサとはうまくいっているのか？」

いきなり話題が具体的になった。

「あの子はいい子だ。あかるいし、素直だ」

意見もつく。僕は苦笑し、その通りだと認めた。

店をでると、アブクリムが待っていた。軒先に停めたバイクの横で、濡れたまま煙草《たばこ》を吸っている。

「ここにいるって聞いたから」

ほんとうに不思議なのだが、誰がどこで何をしているのか、この街の人間には筒抜けなのだ。

「アブクリーム」

陽気な大声をはりあげ、ハマディが若者の肩を抱く。

「入ってくればよかったのに。食事はすませたの？」

僕は言った。このレストランが彼には値段の高すぎる店であることも、でももし彼が入ってきさえすれば、僕が支払いをすることも、三人ともわかっていた。金のある者が払えばいい、当然だ、と、ハマディは言う。僕が彼といて気楽なのは、彼のそういうおらかさ――というか正直さ――のせいかもしれない。

「食べてないけど、腹はへってない」

アブクリムが言った。

「じゃあディスコに行こう」

間髪を入れず、ハマディが提案する。

「そこで軽く食べればいい。アラビアンミュージックと酒、水パイプ、女、女、女」

両手を広げ、嬉しそうに踊るまねをした。雨のなか、僕たちはそれからディスコに行き、一時間ばかり遊んで帰った。


翌日は一日家のなかで過ごした。たまっていた洗濯物を一気に——たらいのなかで踏む、という原始的な方法で——洗い、テラスに干して、あとは音楽を聴き、昼寝をして本を読んだ。ここでの僕の暮しぶりは、基本的にそんな感じだ。何もしていない。

所持品はもともとすくないし、新しく買った物といえば、ステレオとレコード、鍋や包丁といった台所用具と、自転車くらいだ。ここを去るときにはそれらは置いていくわけだし、貰《もら》い手には事欠かない。身軽なものだ。

大学を卒業してから留学すればいい、という両親の助言には従わず、僕は休学してこの旅を始めた。大学をおもしろいとは思えなかったし、姉のように家出をする度胸もなかった。

「好きなようにやってくればいい」

出発の前日、父は言った。僕はそうした。働いてもみたし、野宿もした。美術館だの劇場だのにもたくさんでかけた。さまざまな人間と知りあいになった。金を払って女と寝たし、金を払わずに女と寝た。男とそうなりかけたこともある。日本を発《た》ったときには女さえ知らなかったことを思えば、かなりの「発展」かもしれない。

でも、石鹸《せっけん》くさい夕方のテラスで、僕は認めざるを得ない。何一つ事態は好転していないし、日本で僕を待っているものから、逃れる術《すべ》はないということを。

姉から届いた手紙には、豊《とよ》さんと結婚することに決めた、と、書いてあった。驚くにはあたらない。姉自身を除いた家族の誰もが、いずれそうなるだろうと思っていたことだ。豊さんは素晴らしい人間だし、姉を深く愛している。なるほど、彼なら姉の産んだ子供を——それが誰の子供であれ——、誠実に慈《いつく》しんで育てるだろう。

かつて、僕は姉を説得しようとしたことさえあるのだ。姉と豊さんが互いに惹《ひ》かれあっていることはあきらかだったし、子供のころから兄妹のように近くにいた。僕にとっては複雑な気持ちになることでもあった。嫉妬？　そうかもしれない。

僕は姉に守られ、姉は豊さんに守られていた。いつも。だからこそ僕はあのとき——というのは八年前、姉がすべてを捨てて家をでると言いだしたとき——、説得を試みたのだ。家をでることには反対はしない、と、僕は言った。でも、姉をあんなに理解し、大切にしてくれる男性と、それがたまたま父親の思惑どおりだったというだけの理由で、別れるのは正しい判断だと思えない。僕はそう主張した。

——だったら、
姉はひっそりと微笑んだ。

——だったら、豊彦さんは私と駆け落ちしてくれるべきだわ。お父様の庇護のもとでではなく、もっと広い空のもとで、私と生きてくれるべきだわ。

決然とそう反論した姉の、大人びた横顔と透明な美しさを、よく憶《おぼ》えている。

「よかったよ」

最初に手紙を読んだとき、僕は声にだしてそう呟《つぶや》いた。姉と豊さんの双方にとって、ほんとうによかったといまも思う。しかしその一方で、あの意志の強い姉の反抗もここまでか、と思うと、微《かす》かな失望も感じた。

いろいろな意味で、僕は姉にとても影響を受けてきたのだ。八歳という年の差は、彼女をつねに大人として見るのに十分なものだった。僕が臆病《おくびょう》でスローモーな子供だったせいもある。快活で冒険好きな姉の、あとばかりくっついていた。正義感が強く一本気な姉は、僕の目には火のような情熱の塊《かたまり》として映った。僕を苛《いじ》めた近所の少年を、庭の木にくくりつけたまま放置したこともあるし、彼らの武器だったぱちんこを取り上げ、焚火《たきび》にくべて燃やしたこともある。かわいがっていた犬のフルスチャーシエが死んだときには、大泣きして二晩添い寝した。冬で、犬舎はおそろしく寒かった。無論、両親は叱《しか》ったり宥《なだ》めたりしたのだが、姉は聞く耳を持たず、荒木さん――というのは我家で外仕事をしてくれている人だ――が、一晩中犬舎の脇で火を焚《た》く羽目になった。

姉は僕に勉強のし方も教えてくれた。姉に習う英語や数学の方が、家庭教師に習うそれよりもずっとおもしろく思えた。当時大学生だった姉は、かつて彼女自身の家庭教師でもあった野村さん――父の友人にして、博覧強記の大学教授――を、夕食後の会話が熱を帯びて議論になったときなどに、しばしば論破してしまうほどの知識と気概を身につけていた。

二人の姉は、どちらも男女共学の大学に行くことを許されず、女子大に通った。上の姉は、はじめそのことにも腹を立てて父にくってかかっていたのだが、実際に入学してみると、大学生活が愉《たの》しいと言っていた。

その姉と違って、僕は大学という場所に、どうしても馴染めなかった。二十歳で入学し、二十二歳で休学した。

そしていまや、こんなところにいるのだった。

朝は晴れていたのに、いまは曇っている。じきに、雨が落ちてきそうな空模様だ。カオサの提案でブラ・レジアに来ている。片道三時間の「ピクニック」だ。車のなかで、カオサはずっとポップスミュージックを聴いていた。

「あなたと一緒にいると、いつもの音楽がずっと素敵に聴こえる」

嬉しそうに、そんなことを言った。

ブラ・レジアは確かに雄大な遺跡だ。茫漠《ぼうばく》と広がる草原は果てもないように見え、丈高くのびたまま枯れかけている雑草のあいだを、息をきらしながら歩いている物好きは僕とカオサだけだ。耳元で風が鳴っている。

この国に住むアラブ人たちにとって、キリスト教時代の遺跡は興味の外であるらしく、まるで保護をしていない。はるか昔の住居跡、浴場跡。これほど広大で、かつ原形をとどめた遺跡は世界でもそう多くはないはずなのに、おもしろいほど無頓着《むとんちゃく》に、野ざらしになっている。

いっそ気持ちがいい、と僕は思う。観光名所化さえされておらず、風雨と時間にただざらされて、あるがままに朽ちるのを待っている遺跡——。僕たちはついさっき、城壁の残骸に腰掛けて昼食を摂《と》った。パンとチーズ、オレンジとダッツ、それにミントティ。パン屑《くず》がこぼれても誰も気にしない。事実、足元にはもっと醜悪なものがいろいろと落ちていた。使用済みのコンドームとか、駄菓子の包みとか、ぼろ靴の片方とか。地下に造られていた部屋〈は、用途や趣味までわかるほどきちんと残っていて、いまなお美しい美術品であるタイルなど、その気になれば誰にでも持ち去れるだろう。この国の僕の友人たちならば——ハマディにしてもアブクリムにしても——、興味もなさそうに手を振って、欲しければ持っていけ、と言うだろうと思った。彼らには、自分たちが生き延びていくために考えねばならないことが、他にいくらでもあるのだ。必要なのは未来であって、過去ではない。

「待って」

カオサが言い、立ち止まった。つないでいた手をはなすと、しゃがんで黄色い花を一輪手折《たお》った。僕の胸ポケットにさし、眺めて、

「いい感じ」

と、言う。再び手をつなぎ、歩いた。

「大学を卒業したら」

カオサが言った。

「日本に行ってみたいわ」

僕は笑って、まだ入学もしていないくせに、とこたえたが、彼女の言おうとしたことは、なんとなくわかった。

「日本は遠いよ」

それで、そう言った。

「キリ」

名を呼ばれ、また立ち止まった。あそこまで登ろう、と決めた高台まで、もうすこし

の距離だ。雨が降りだす前に車に戻れるだろうか。

「あなたはあと一年もしたら日本に帰らなくちゃいけない。大学生活があと二年残ってるから」

そうよね、と確認するような表情で、カオサは僕の顔を見た。

「うん」

僕はにっこりしてこたえたが、カオサの誤解については何も言わずにおいた。一年後に帰国しなくてはならない、というのは正しいが、僕はそれまでずっとここにいるわけではない。おそらくあと三カ月、いや、二カ月かもしれない。僕は世界をこの目で見たいと思ってでてきたのだし、遊学の寄り道としては、すでに長すぎるくらいなのだ。

「あなたには、継がなくてはならない家業がある。でも、キリが卒業するころには、私も卒業が近くて——まあ、予定ではね——、いまよりずっと成熟していると思う」

僕が笑ったのは、成熟という言葉が——カオサはその言葉を使ったのだ。いまよりずっと成熟していると思う、と——、可笑《おか》しかったからだ。可笑しくて、かなしかった。

「きみは、いまだって十分成熟しているよ」

僕は言い、カオサの額に唇をつけた。まるで、小さな子供にするみたいに——。

未来。カオサが欲しているものもまた、それなのだろう。

高台からの眺望は、すばらしいものだった。あちこちに、整然と四角く佇《たたず》んでいる遺跡たち。植物だけが、それを護《まも》るようにとり囲んでいる。ぼうぼうと激しく鳴る風、夕方の光と雨雲がせめぎ合っている不穏な空。僕たちは、しばらく黙ってその光景に見入った。

家に帰ると、すっかり夜になっていた。扉がわりの赤い布をくぐると、黴と湿気の冷えたにおいに迎えられた。電気をつけ、換気扇をまわす。

「キリの家のにおい」

くんくんと鼻を鳴らし、カオサが笑いながら言う。そんなことを言うときでさえ、カオサは嬉しそうだ。疲れていたが、抱きしめてベッドにひっぱりこんだ。髪どめが頬骨にあたった。ブラウスを脱がせ、ジーンズを脱がせる。窮屈そうなブラジャーを外してやると、豊かな胸がこぼれるように顕《あらわ》になった。

行為のあいだ、カオサはされるままになっている。いつもそうなのだ。しかし、いやだというわけではないらしく、さりげなく協力はする。足を持ち上げたり、腰を浮かせたり、まあそのようなことだ。

朝早く起きてランチバスケットの用意をし、車で僕を遺跡ピクニックに連れて行ってくれたカオサ、身体を委《ゆだ》ねるのは僕が初めてだと、最初の夜に、きまり悪そうに告げたカオサ、小綺麗《こぎれい》な服装をすることに気を遣い、オトクトゥヌ《原住民》たちと距離を置きながら、全くの異邦人である僕を慕うカオサ――。

テラスにでると、潮を含んだ風が皮膚に気持ちよかった。星はおどろくほどたくさん瞬いているが、それでも海も空も黒々とただそこに横たわり、夜の暗さに目が馴れるまで、その境界も定かではない。

「週末、よかったら食事にいらしてってって、ママが」

カオサが言う。裸に僕のシャツを羽織っただけの恰好《かっこう》のカオサは、りんごジュースのグラスを手に持っており、行為のあとはいつもそうであるように、頬を上気させている。

「今週末は、ちょっと難しいな」

僕は言った。

「約束があるんだ。でもママに、御招待ありがとうございますって、伝えて」

カオサの両親は、どちらもポルトガル生れだという。彼らがどういう事情でこの国に住むようになったのか、僕は知らない。でも、いまではカオサの祖父母や従兄《いとこ》たちもこの国で暮しており、カオサ自身はここで生れて、ポルトガルにはまだ行ったことがないという。

「この国が独立する前のこと、憶えてる?」

僕は尋ねた。

「もちろん」

カオサは即答した。

「まだ子供だったけど、いろんなことをよく憶えてるわ。街が、いまよりずっと賑《にぎ》やかだった。贅沢《ぜいたく》なものもたくさんあった。住んでいる人間より旅行者の方が多いくらいだった」

うっとり、と言っていい口調でカオサは言った。彼女にとっては、あきらかにいい思い出であるらしかった。

「一度、家族でタンジールに行ったの。従兄たちを迎えに」

話を聞きながら、僕は自分のグラスにウイスキーをついだ。テラスに戻り、カオサの背中に軽く触れた。

「大きなホテルに泊ったわ。玄関にはドアマンが立ってた。その夜、食事に行ったレストランにはフランス人とアメリカ人が大勢いて、バンドが両方の国の曲を交互に演奏してた。私はまだ三つだったけど、あの夜のことはちゃんと憶えてる。自分がピンク色のワンピースを着せられてたことも」

言葉を切り、カオサは僕を見つめた。楽しい思い出を語る表情は、すでに消えていた。

「でもね」

ゆっくりと、カオサは言った。

「でも、独立するのは大事なことよ。たとえ何かを失うことになったのだとしても、国というのはまず独立すべきだわ。私はそう思ってるの」

少女じみた風貌《ふうぼう》に不似合いな、決然とした口調だった。

「どうしてそんなことを訊《き》いたの？」

尋ねられ、僕は口ごもった。この国の現状に、カオサのような人間がどう対処しているのか知りたかったから、だろうか。たとえばカオサは僕と出歩き、キスもすれば身体も重ね、来年は大学に進学しようとしているが、この国の多くの女性たちには、そのどれもが起こり得ないことだ。彼女たちは滅多に外にでないし、父親や夫の所有物のように扱われ、決して肌をさらさず、他人と目を合せることもしない。

「さあ、どうしてかな」

バイクのクラクションが鳴ったのはそのときだった。

「キッリー、いるかあ」

野太い声が聞こえ、カオサが眉をひそめた。

「いるよ。いま行くからちょっと待ってろ」

道路の方向へ怒鳴ったあと、カオサに首をすくめてみせた。

「夕食の誘いだ」

微笑んで言ったが、返ってきたのはためいきだった。

「誘い？　たかりでしょう？」

呟くと、服を拾いに寝室に消えた。僕はウイスキーのグラスを揺すった。氷などという洒落《しやれ》たものは常備していないので、揺すっても、生ぬるい液体が揺れるだけだ。

こういうことを言うときのカオサは、僕に姉たちを思いださせる。「桐之輔はつけこまれやすいのよ」下の姉ならそう言うだろうし、上の姉は——。想像して、僕は苦笑した。上の姉なら自分で外にでて行って、彼らに意見するだろう。

家から自由にでられない女たちとは対照的に、この国の男たち——未婚の、定職のみつからない若い男たち——は街にあふれている。その日によって臨時の仕事に就けたり就けなかったりする彼らは、金のある外国人をみつければ仲よくする。友情の名のもとに食事や酒を共にし、あれこれ手伝ってくれて駄賃を得る。でも、それは悪いことなのだろうか。

再びクラクションが鳴った。合奏だ。二台。ということは、アブクリムとイメット、あるいはゴブジかもしれない。

「ピクニック、楽しかったよ」

着替えて戻ってきたカオサに言った。ジャケットを取り、僕は彼女の肩を抱いておもてにでた。土の道、カエルの声、波の音、夜気。友達の乗った二台のバイクは、カオサの車のすぐ横に停まっていた。

翌週は、自転車で市場に食料を買いに行ったほかは、昼のあいだ家から一歩もでずに過ごした。音楽を聴き、海を眺め、昼寝をし、本を読んで、書きものをした。料理をし、洗濯をした。僕が小説のようなものを書いていることは、豊さんしか知らない。もし父が知れば、息子にさらに失望するだろう。

父は厳格で豪胆な男だ。無口で、明治生れらしく進取の気性に富んではいるのだが——なにしろ三代続いた呉服問屋を惜し気もなく潰し、当時としてはさぞ胡散臭《うさんくさ》かったであろう貿易会社を設立した——、いかんせん頑固であり、僕に言わせれば理想主義者でありすぎる。しかし、現実に、父は自分の理想を悉《ことごと》く実現させてきたのだ。僕のように軟弱な息子や、姉のように気の強い娘ができてしまったことはその限りでないとしても——。

父は子煩悩だった。海外にでかけていることが多く、留守がちではあったが、家族を大切にしていた。なかでも母を。遠くロシアから父についてきた母。かわいそうなアレクセイエフと、惨《みじ》めなニジンスキーの末裔《まつえい》。

考えるのはよそう。

僕は夜遊びに備えてシャワーを浴び、ステレオにワグナーをのせた。じきに誰かが誘いに来るだろう。そしておそらくメディナにくりだす。「男には社交が必要だ」というのはハマディの口癖だ（カオサが聞いたら眉をひそめることだろう）。

十月。もしこの借家で年を越す気なら、ストーヴを一台買うべきかもしれない。

イメットは十七歳、ゴブジは十八歳、アブクリムは二十二歳だ。皆褐色の肌と逞《たくま》しい筋肉を持ち、アブクリムは立派な顎鬚《あごひげ》も蓄えている。蠟燭《ろうそく》の灯《とも》された店内は暗く、揚げ物の匂いと、水パイプの甘ったるい臭気がしみついている。複雑なメディナのなかでもとりわけ入り組んだ一角にあり、猥雑《わいざつ》で陰気で、地元の男たちだけが寛《くつろ》げる種類の暖かさに満ちた場所。

迎えに来たのはイメットとゴブジだった。ゴブジのバイクのうしろに乗せてもらい、店につくとすでにアブクリムが待っていた。皆で食事をし、宗教上の理由のない僕だけが酒をのんだ。今夜は女を買いにいきたい、と、ゴブジが言う。こいつらは、顔を合せれば女の話しかしない。

「女はめんどうくさい」

アブクリムが言った。言葉とは裏腹に、にやにやしている。その気なのだ。

「僕はどっちでもいい」

そう言ったイメットも、やはりにやついていた。

「わかった。じゃあ、もうすこししたらここをでよう」

三人がそれぞれに、嬉しそうな声をあげた。

あなたはたかられているのよ、と、カオサは言う。そのとおりだ。でも、僕はこいつらが好きだし、妙な言い方だが近しさを覚える。実際、大学で知り合った人間たち――おなじ国の、おなじくらいの年齢の男たち、女たち――と一緒にいるよりも、ずっと自然な気持ちがする。

そういった日本の学生たちは、僕には理解不能だった。何に関心があるのか、何を恐れているのか、何に腹を立てているのか。でも、彼らは確かに何かに興味を持っており、何かをひどく恐れていて、何かにおそろしく腹を立てていた。

一人一人は感じのいい人間であるように思えた。なん人かとは友達になったし、はじめのうち、誘われれば僕はどこにでも行った。大学野球の応援にも、公園でのピクニックにも、講演会や討論会にも、酒の席にも音楽会にも。奇妙なことに、僕を誘ってくれた人間も含め、友人たちの誰一人として、そういった行事や場所を心から楽しんではいないようだった。どこにでかけても、その場にいるのにいないような感じ、と言えばいいだろうか。あいかわらず別の何かに関心を持ち、別の何かを恐れ、別の何かに腹を立てているように見えた。

「変ってるなあ」

僕はそう言わずにいられなかった。

「楽しくもない場所に、一体なぜでかけていくんだ？」

それは単純な疑問であり質問だった。イメットだってゴブジだってアブクリムだって、即座に何らかの返答を寄越《よこ》すだろう。ところが、大学という場所で、僕の質問は誰にも理解されなかった。あきらかに——そして驚いたことに——、彼らは自分たちが楽しんでいるかどうかにまるで関心がないか、楽しんでいないことに気づいていないかのどちらかなのだ。

学生ばかりではない。教授たちもまた、おなじ病《やまい》に冒されているようだった。授業は義務もしくはルーティンワークに過ぎず、そこには何の喜びも存在しない、とでも思っているみたいだった。僕にとって、それは大きな衝撃だった。

学生生活が、自分のなかの重要な要素——善《よ》かれ悪《あ》しかれ形成されてしまった僕という人間——を日々鈍磨していく。その確かな感覚に、僕は苛立《いらだ》った。じきに僕は孤立した。それは僕の選んだことであると同時に、彼らの選んだことでもあった。僕が彼らに失望したのとおなじように、彼らも僕に失望したに違いないのだ。激化する一方の学生運動にも、来日したビートルズにも、僕は興味がなかった。お護りになるとかいう切符を買いに、わざわざ北海道まで旅にでることにも、アメリカの若者を模したと思われる服装をすることにも、就職活動にも。

結局のところ、学問だけのために大学に行くという考えが、流行遅れだったのかもしれない。

「気が乗らないのか？」

心配そうにゴブジが言う。

「カオサのことが気になるんだ」

と、アブクリム。薄暗い店の隅で、いかにも密談という気配だ。三人とも煙草を指にはさんでいる。ぎりぎりまで短く喫《す》うのだ、こいつらはいつも。

僕は苦笑した。

「違うよ。心配ない。今夜は楽しみたい気分だ」


自慢ではないが、日本を離れてからの僕は、国籍も風貌も様々な娼婦と知り合いになった。とりわけロンドンでは、彼女たちに世話になった。ちなみに、僕がいま書いている小説は、そのころの生活にフィクションを織りまぜたものだ。といっても、娼家の話ではない。いわば遊学をめぐるエピソードの集積であり、あの土地で出会った実在のマレーシア人青年をモデルにして、そこに自分自身を重ねた独白体で書いている。街の空気、人々の気質、人格を露呈するもの、もしくは隠蔽《いんぺい》するものとしての会話、そこに生じる輝かしい齟齬《そご》――。

直美と青木、それにマレーシア人のロスリン・シデクとは、直美の働くパブで知り合った。四人でよく遊んだ。みんな小汚い下宿暮しだったが、どこが誰の下宿だかわからなくなるほど、頻繁に往き来していた。直美と青木は一緒に暮しており、二人ともすでに三十代だと思われるのだが大層不良の風来坊で、もう日本に帰る気はない、などと言っていた。

ロスリンは四人のうちいちばん歳下で、僕同様金持ちの家の息子だ。留学生だったが、いつのまにか学校をやめてしまっていた。

確かに皆無責任だった。昼間から酒をのんでカード賭博に興じ、夜にはさらに酒をのんだ。アルコールとマリファナで朦朧《もうろう》としたまま盛り場をうろつき、怪気炎を上げたり路地で気を失ったりした。直美は自分と青木を養うために働いていたが、休みの日には夜まで僕らにつきあって、そういうときには僕らの誰よりも派手に酔った。酔うと口が悪くなり、僕や青木に喧嘩《けんか》を売った。ほんとうかどうかは知らないが、店でもらったチップは――それがもし紙幣なら――トイレでこっそりあそこに入れておくのだと言っていた。ポケットに入れておくと搾取されてしまうから、と。ぽってりした体型の不美人だが、純情なところがあり、聡明で、下品だが正確な英語を話した。

僕は直美を抱いてみたいと思っていた。そうできないかわりに娼婦を抱いた。ロスリンは僕を抱けないかわりに男娼と寝ていた。あの奇妙な日々。

それは、日本にいたときには想像もできない種類の友情だった。

無論僕も理解している。あれは、でも、たった二カ月余りの放埒《ほうらつ》な生活、金にあかした貧乏気取りに過ぎなかったということを。遊学という言葉がすでに死語であるいまの時代に、僕のこの長い旅はまぎれもなく逃避であり遊学なのだ。甚《はなは》だしく様変りしているとはいえ、三十五年前、戦前も戦前に、父がその父の意向によって――お伴《とも》つきで――送りだされた欧州への旅とおなじことだ。その旅で、父は母に出会った。そのときにそばにいたお伴――父の信頼厚い、柳島家の番頭――は、豊さんの父親だった。物事はつながっっているのだ。

午後。僕は台所で、遅い昼食を準備している。旅にでてから知ったことだが、僕は料理がなかなか上手《うま》い（それについては、カオサが請け合ってくれるだろう）。

いまつくっているのは臓物の煮込みで、オジャと呼ばれている。羊の臓物および腸詰め肉を、たくさんの野菜と一緒にワインと香辛料で煮込む。店ででるものはトマトで煮込まれているのだが、僕はワインを使う方が好きだ。

家では、台所は女の領分であり、父や僕の立ち入れない場所だった。でも、こうして自分の台所に立ち、大量の野菜を刻んだり炒めたり、寸胴鍋《ずんどうなべ》を火にかけたりしていると、それがどのくらい手順のよさを必要とする作業であるか、また、手順よくそれをすることが、どのくらい心を落着かせてくれるものであるか、が、よくわかる。グツグツという楽しげな音、様々な香辛料の匂い。

居間では、買ったばかりの石油ストーヴが、扉のない家の空気を暖めるという途方もない仕事をしてくれている。効率は悪いが、いまはこれで十分だ。凍《い》てつく寒さの来るころには、僕はもうここにいない。

きのう、街にでたのでアメリカで僕を待っていてくれる知人夫妻に電話をかけた。回線がつながるのを待つあいだ、僕は、周囲――薄汚れたベージュ色の壁、仕切りのついたブース、料金を払うための窓口、その奥で働いている人々、くすんだピンク色の床、電話を使っている人たちの、一方的な話し声――のすべてがつくりものであり、そこに立っている僕――海辺の貸し家に住む、人づきあいのいい外国人――もまた、つくりものであり虚像である、という妙な感覚にとらわれた。実際の僕は日本に、あるいはもしかするとアメリカに、いるのではないかという疑念。

自分が幽霊になったような気が、ふいにした。

「六番へ」

交換手に言われ、六番ブースの電話をとると、呼出し音が聞こえた。一度、二度、三度。電話にでたのは妻の方だった。僕が名乗ると、大袈裟に感激した声でこんなふうにまくしたてた。まあキリノスケ、よかったわ電話をもらえて。どこにいるの？　御両親には連絡をしてる？　元気で、何の問題もないのね？　いつこっちに来られるの？　ジェリーも私も楽しみにしてるのよ。もちろんマーサも。マーサのことは憶えている？

カルイザワではたくさん遊んでもらったわね。大きくなったから、あなたきっとびっくりするわ。ハイスクールに通ってるのよ。ちょっと待ってね、切っちゃだめよ。

そして、彼女は夫を呼んだ。送話口を手でふさぐ気配はしたが、ジェリー、と叫ぶのがはっきり聞こえた。誰からだと思う？　と、嬉しそうに尋ねるのも。

僕はなつかしさを感じた。彼女に対してではない。ジェリーとレイチェル、それに小さかった娘のマーサとは、彼らが日本に住んでいたころ、僕も確かに親しくしていた。でもそれは十年も前のことであり、子供だった僕にとって、彼らはあくまでも両親の友人だった。人となりまで理解できていたわけではない。

あれは、僕がずっと属していた世界――いまも属している世界――へのなつかしさだった。レイチェルの声は、あきらかに僕のよく知っている場所、すっかり馴染みの場所から届いた声なのだった。


かつて、僕の愉しみといえば、姉二人と外出することだった。映画をみてから食事をして帰る、というのが最も多かったが、映画は場合によって芝居になり展覧会になり、ときには買物につきあわされることにもなった。いずれにしても、そのあとは三人で食事をすることになり、店はたいてい銀座の洋食屋と決まっていた。

上の姉が女子大に入学したころから始まった習慣で、当時僕は十歳かそこらだった。

駅や街や劇場やレストランで、陽気で美しくて屈託のない二人の姉のペットになることが、どんなに誇らしかったことか。

下の姉が他家へ嫁いでいたごく短いあいだを除くと、僕たち三人のそのささやかな集りは、三、四カ月に一度ずつ、僕が日本を発つまでずっと続いた。帰国すれば、またおなじように続くものだと思っていた。菊ちゃんと百合ちゃん、そして僕――。

あんなふうに気ままに外出することは、菊ちゃんの赤ん坊という存在がある以上、おそらくもうないだろう。

自宅での、両親と一緒の食事のときには存在し得ない輝かしさが、三人で囲むテーブルには確かにあった。そこで語られることは決して口外しない、と互いに了解しあっていて、下の姉の嫁ぎ先での苦労話や、上の姉の家出計画、学業を中断したいという僕の考え（あるいは考えなしな意見）といった笑い事ではない話題――まあ、一般的にはそうだろう――を、僕たちがどんなに賑やかに、おもしろ可笑しく、幸福といってもいい心強さのなかで語りあってきたか、他人には想像もつかないと思う。

勿論《もちろん》、そういった話題ばかりではない。みてきたばかりの映画の感想や、そこから派生するべつの映画、べつの小説、女優や男優の好き嫌い、料理、ありとあらゆる瑣末《さまつ》で大切なこと。

僕は、姉二人の女同士のおしゃべりを聞くのも大好きだった（何しろ、彼女たちはべレー帽のかぶり方についてだけで、一時間も喋《しゃべ》ることができる)。実際、そこから学んだことも少くない。女たちが何を嬉しがり何を嫌がり、何に対して「我慢ならない」と感じるのか。

テーブルの上をパン屑でいっぱいにして、安価だがおいしいワインを二壜《ふたびん》もあけ、食べ、笑い、身ぶりをまじえて話し、聞き——。

そこから、家族内の流行語というか、ある種の合言葉のようなものも生れた。

「かわいそうなアレクセイエフ」

というのがその一つだし、

「みじめなニジンスキー」

というのもその一つだ。前者は、僕たちが子供のころにくり返し聞かされた、母の祖先の逸話からきている。アレクセイエフとニジンスキーは従兄弟《いとこ》同士で、ある日ささいな口論が元で決闘をした。片方は死に、もう一方は酒びたりになったあげく自殺をした。

母もやはり幼いころから、母の両親にそれを聞かされていた。母の説明によれば、それは教訓のために語り継がれており、その教訓とはつまり「カッとしてはいけない」

「一時の激情にのみこまれてしまうと、自分も相手も不幸になる」というようなことらしい。母の生れ育った家庭では、いいことは「ニジンスキーのせい」、悪いことは「アレクセイエフのせい」にされていたという。

　当然ながら、僕たちはこの話を奇妙だと思った。もっとも、ロシア革命の年に生れた母とその家族にとって、ソヴィエトとなった祖国での生活はあまりにも困難に満ちていて、忍耐もしくは自制、もしくは口をつぐんでじっとしていること、が大切だったのであろうことは想像ができる。自分たちの力では如何《いかん》ともし難いあれやこれやを、祖先のせいにでもしなければやりきれなかったのかもしれない。

「でも、決闘した彼らには彼らの事情があったわけだし、とくにアレクセイエフは、まさか子孫の不幸をみんな自分のせいにされているとは、思ってもいないでしょうね」

　最初にそう言ったのが菊ちゃんだったか百合ちゃんだったかは思いだせない。僕たちは三人とも、アレクセイエフとニジンスキーに愛着を持っていた。子供が、気に入りの絵本の登場人物に対して抱く愛着。加えて僕たちのなかに彼らとおなじ血が流れていることは、紛れもない事実なのだ。

「気の毒にね」

　僕らはそう言いあった。茶の濃淡とクリーム色で統一された、静かな西洋料理店のテーブルで、決闘からもソヴィエトからも遠く隔った場所で。

「彼らが私たちを見たら何て言うかしら。私たちが彼らのことを語り継いでいて、それがもし事実と違っていたら」

「違うに決まってるさ。誰が見たっていうのさ。だいたい一族の昔話なんて、あてにならないに決まってるよ」

「じゃあ事実はどうだったたっていうのよ」

誰にわかるだろう。

「存在したことは確かだわ。肖像画があったんだもの」

「決闘も確かよ。でもどちらが悪かったのかはわからない。どちらかを悪者にするのはおかしいって、私、ずっと前から思ってたの」

「彼らは仲がよかったのかもしれない。つまり、決闘する前までは」

「わからないわ」

「もちろんわからないさ」

「かわいそうなアレクセイエフ」

「みじめなニジンスキー」

その晩、僕たちは二人の男のために乾杯をした。そして、子供の時分から聞かされていた教訓は、純粋に悲しみを表明するためだけの、合言葉になった。

来日したサルトルとボーヴォワールの講演会にも、僕は二人の姉とでかけた。考えてみれば、僕の二年間の大学生活で、もっとも興奮した出来事が彼らの来日だったかもしれない。講演会が開かれたのは秋で、姉は二人とも——それぞれのやり方で——ベレー帽をかぶり、まるで旧友と再会するみたいにいそいそとでかけた。僕は僕で、もしも直接言葉を交す機会に恵まれた場合に備えて、フランス語での挨拶《あいさつ》を練習してでかけた。

個人的な挨拶はおろか、会場での質問——挙手により、数人が質問を許された——の機会さえ僕たち三人は得られなかったのだが、そんなことはどうでもよかった。壇上の二人の落着きぶりや、深みのある声、辛辣《しんらつ》だが誠実で、知性と同時に人柄まで感じさせる話しぶり、ときどき互いをちらりと見たり、うなずいたり微笑んだり首をすくめたりする、その関係性の自然さと信頼の度合い、冗談を口にするときの眉の上げ方、短い沈黙や咳払《せきばら》い、といったもろもろに、すっかり感銘を受けてしまったからだ。無論、その日にサルトルが着ていた背広の色合いや、ボーヴォワールのはいていた靴にも、僕たちは深い感銘を受けた。そのあと繰りだしたレストランで、姉二人がまずそれに言及したことは言うまでもない。

支配人がおずおずと閉店を告げにくるまで、僕たちは印象を語り合い続けた。とくに菊ちゃんはボーヴォワールの熱心な読者なので観察が細かかった。話しながら、ボーヴォワールの目の伏せ方だの、「ウイ」の発音のし方だのを実演してみせた。なりゆき上僕がサルトル役を引き受け、出鱈目《でたらめ》なフランス語を低い声で喋った。百合ちゃんが通訳の女性をまねた。そうやって三人で芝居をし、いちいちに笑い転げたのだった。

大学の連中にそういう話をしたことはないし、しようとも思わなかった。でもたぶん、彼らは何かを感じとっていたのだろう。楽しくもないことを楽し気にすることも、楽しいことを楽しくないふりでやりすごすことも、僕にはできなかったからだ。

海辺の要塞は、僕の借りている家から浜づたいに二十分ほど歩いた場所にある。朝、起き抜けに散歩をするにはちょうどいい距離だ。要塞は丘の上にあり、浜辺から見ると、そこだけ中世のように見える。史跡が実に無造作に、なげやりに放置されている国だ。

今朝も、息がとまりそうにあかるく白い空気と海だ。はじめて見たときには驚いたし、どうしてもここで暮してみたいと思った。何といえばいいのだろう、人類の誕生以来これまで、誰も吸ったことのない空気をいま自分が吸ったのだと感じた。あるいは逆だろうか。千年前の人々が吸った、そのおなじ空気をいま自分も吸っている、と感じたのだったかもしれない。

今夜は、カオサの家に食事に招かれている。それを思うとすこし気が重かった。というのも、来月ここを離れてセウタに寄り、そこにいる友人たち――半年前に知り合った、僕の日雇い労働仲間！――に挨拶をして、船でヨーロッパに戻る計画を僕がすでに立て始めており、ハマディやイメットや、この土地に住む僕の友人たちがみんな知っているその事実を、カオサにだけまだ打ちあけていないからだ。

船はアルヘシラスに入る予定だ。そのあとは、おそらく一ばん早い列車と飛行機を乗りついで、アメリカに渡るのだと思う。そこには、両親の友人であるウルフ夫妻――ジェリーとレイチェル――が待っていてくれるはずだ。

丘をのぼると、足下は白砂から黒土に変る。草がぼうぼうと生えたまま枯れて白茶けており、風が、どこからか錆《さび》に似た匂いを運んでくる。

「日本に行ってみたいわ」

そう言ったカオサが思いだされた。

「日本語だわ！」

僕の書いた葉書の文字を見て、大袈裟に驚いたふりをしたカオサも。そういえば、はじめて会ったとき――それはシディ・ブ・サイドの海岸で、僕はほんの数日観光に来ていただけだったのだが――、僕が日本人だと知ったカオサは、

「まさか！　冗談でしょう？」

と言って、あわてて手で口をおさえた。子供みたいな仕草だと思ったことを憶えている。ロシア人である母の血を濃く譲り受けている僕にとって、彼女のその反応は、珍しいことではなかった。

「母が――」

説明しようとしたが、その前にカオサが笑いだした。弾《はじ》けるような、朗らかな笑い方

だった。

「ちがうの、ごめんなさい」

笑いの発作がおさまると、手を胸にあて、カオサは言った。

「信じられないなんて言うべきじゃなかったわ。ただ、あんまり遠くてびっくりしちゃって」

そこでカオサは息をすいこみ、何か大切なことを宣言するかのように胸を張って、

「あなたは正真正銘、私が生れて初めて見る日本人よ」

と、言ったのだった。

思いだし、僕は苦笑する。ガイジンとか混血とか呼ばれてからかわれたのは子供のころのことだ。大学では、ハーフなんてうらやましいとか、恰好いいとか言われた。そのどちらも、カオサには想像もつかない――というより何の意味も持たない――ことなのだった。

静かだ。石の壁を、僕は手のひらでぽんぽんと叩《たた》く。ひんやりしているが、乾いた感触だった。切りとられた窓から海を見下ろす。この要塞が、幾つもの時代にまたがって役目を果たしてきたことは、学者でなくても一目でわかる。使われている石の種類が部分的に違うし、壁の一部にはアラビア文字の装飾が刻まれ、かと思えば別の一部には、破壊されたキリスト教の祭壇が、無残な跡をとどめている。

家に帰ってシャワーを浴び、ビスコットにバターと杏《あんず》ジャムをつけて朝食にした。インドで盗難にあって以来カメラを持たずに旅をしてきたが、カオサの写真が一枚ほしいと、ふと思った。

夕方早目に家をでて、街まで歩いてでた。スーパーマーケットで、カオサの家に携えて行くワインを買ったのだが、たまたま市が立っていた。

スークとだけ呼ばれるこの市が一体どういう周期で立つものなのか、この土地に五カ月暮してみても、結局僕にはわからなかった。地元の人間に訊いてみても、毎週水曜日だ、と言う奴《やつ》もいれば、第一と第三の土曜日と言う奴もいて、事実そのどちらも、立ったり立たなかったりする。

スークの立っている道は騒々しく、混沌そのものの匂いがする。スパイスや布といった軽いものは、黒衣もしくは灰色の服の女たちが頭上のカゴに入れて運ぶが、野菜や窯《かま》焼《や》きの装飾品のように重い商品はロバが運ぶ。あっちにもロバ、こっちにもロバだ。砂《すな》埃《ぼこり》の道を、裸足《はだし》の人々が往き交う。

けたたましい鳴き声をたてて、ニワトリが駆けまわっていた。一羽買って、その場で絞《し》めてもらう。これもカオサの家に持っていく土産だ。手際よくさばかれ、薄紙に包まれた肉を受けとると、まだ温かかった。

肉とワインを抱えて、ルアージュ乗り場まで歩いた。ルアージュは乗りあいタクシーで、便利だがおなじ方向に行く客が揃《そろ》うまで時間がかかる。必ず連れて行ってやるから任せてくれ、と言った運転手を信じることにして、僕は近くの石段に腰をおろした。小さいながらも広場のようになったこの一画は、人影もまばらで、スークの喧噪《けんそう》からも遠い。周囲をとり囲むのは海外資本の会社と高級土産物店だ。歩道と車道のあいだには、プラタナスが植えられている。

僕は、百合ちゃんの編んでくれたやけに長いマフラー——餞別《せんべつ》にくれたものだ。元はきれいなクリーム色だったが（「桐之輔はほんとうにクリーム色が似合う」）、いまではかなり薄汚れてしまった——を巻き直した。十一月の風はつめたい。

この前この場所に来たとき——レイチェルに国際電話をかけた日——もそうだったのだが、外国人か、外国人を相手に商売をしている人間か、しか見かけないこの界隈に来ると、自分がそこに属していることを思い知らされる。整然とした街並みや、欧米式に守られたプライヴァシーや治安に、意志とは関係なくなつかしさを覚えてしまう。身体が勝手に安堵《あんど》すると言えばいいだろうか。

カオサに嘘《うそ》をついているような気がかすめたが、それもまた欺瞞《ぎまん》なのだろう。立ち上がり、つめたくなってしまった尻をはたいた。空にうっすらと紅が刷《は》かれている。夕焼けというものは、どこの国で見ても人を感傷的にさせるらしい。運転手は所在なげに煙草を喫っている。まだか、という意味で腕時計を指す仕草をしてみたが、首をすくめて見せられただけだった。

　僕は高級土産物店の一軒に入ってみた。絨緞屋《じゅうたんや》だ。扉をあけると、カランと鐘が鳴って、細い口髭を蓄えた店主がでてきた。店内は薄暗く、埃とカビのまざった臭いがしているが、そこかしこにどっしりと積まれた敷物のどの一つをとっても、現地の人間には生涯手の届かない値段がつけられているのだ。日本の物価からしても、信じられないほど高価と言わざるを得ない。

　畳二畳分ほどの大きさの、たとえば書き物机の下とか玄関とかに置くのに都合のいい敷物を見せてほしいと頼んだ。船便にして、菊ちゃんと豊さんの結婚祝いに送ろうと思いついたのだ。

「時間がないので、お茶はいらない」

　そう告げると、不服気な顔をされた。高価な商取引に、この国ではお茶は欠かせないのだ。

　くすんだ青を基調にした、やけに柄の細かい、見せられた物のなかでも最も古めかしい一枚を僕は選んだ。昔からそうなのだが、僕は買物が早い。これが「いいお品」であることは、慇懃《いんぎん》な店主の態度や言葉からというよりも、そのおそるべき値段から、なんとなくわかった。小切手で支払いをして、船便用の書類に書き込みをする。僕自身の帰国はまだ先だが、この土地からの祝いの品が二人に届くと思うと嬉しかった。

結局、カオサの家に着いたときには、約束の七時を十八分ほどまわっていた。ルアージュの相客がなかなか見つからなかったことを話すと、その割には早かったじゃないかと、カオサの父親がなぐさめてくれた。玄関での、抱擁と頬ずり。室内は暖かく明るく、料理のいい匂いがした。

カオサは紺色のセーターを着ていた。それに緑色のタータンチェックのスカートを合せ、紺色のハイソックスをはいている。いかにも学生らしい恰好だ。いつものことだが含羞んだような笑みをずっと浮かべており、家族といるときの彼女がひどく幼く見えることに、僕は逆にどぎまぎする。政治について、人権について、あるいは「働こうとしない」オトクトゥヌたちについて、頑固とさえいえるほど揺るぎない意見をのべる彼女と、それはでも奇妙に矛盾しないのだ。

居間で食前酒をすすめられた。オリーブだの揚げた団子だのといった前菜を、カオサの母親が運んでくる。小柄な、賑やかな女性だ。飾らない性格であるらしく、つい今しがたも、両手に皿を持ったまま、猫を足で蹴って追い払った。

「きょうは、妹さんは?」

僕はカオサに尋ねた。他に訊くことを思いつかなかったからだが、従兄の家にでかけているという返事だった。

生クリームを塗りたくったケーキにそっくりな、この部屋の壁にはたくさんの絵皿が飾られている。一家の故郷であるポルトガルの、風景絵皿なのだと思う。いかにも家庭的で、暖かな雰囲気に包まれたこの家の居間は、きまって僕を落着かない気持ちにさせるのだが、それは僕の逃避癖や、弱さと関係があるのかもしれない。

カオサの父親は医者だ。まだ十二歳の、カオサの妹のナディアは、本格的に医者を目指して勉強しているらしい。本格的にというのがどういう意味なのかわからないが、食堂に場所を移してからしばらくのあいだ、そんなことを僕に両親が話してくれた。カオサは医学には興味がないのだという。

メインディッシュは揚げた魚だった。それにミートボール入りのスパゲティ。

「おいしいです」

僕は母親に言った。

「来月」

そんなふうにきりだすべきでないことはわかっていた。しかし同時に、そうした方がいいこともまたわかっていた。

「借りている家を返して旅に戻ろうと思っているのですが、ここで御馳走《ごちそう》になったもののことは、どこに行っても思いだすと思います」

間ができた。そうなの？　と言うように、両親がカオサの顔を見る。カオサは何も言わない。表情が固まっていた。

「来月のいつごろ？」

父親に尋ねられ、一日に、と、僕はこたえた。

「まあ、ちっとも知らなかったわ。カオサは何も言ってくれないんだもの。淋《さび》しくなるわ。あなたみたいな青年と知り合えたこと、私たちみんな嬉しく思ってたのに」

母親が言い、そのあとは、旅程についての質問が幾つかと、型どおりのやりとり――手紙をくれ、勿論です、とか、この国に来たらここを我家だと思ってほしい、ありがとうございます、とか――が続いた。型どおりではあっても、それらは心からの言葉だったし、僕はカオサの両親に、事実とても感謝していた。ただ、カオサの沈黙が重たかった。

食後のカスタードとコーヒーは、場所を再び居間に移してふるまわれた。父親がレコードを選び、それをカオサがプレイヤーにのせた。ソファでまるくなっていた猫が、うるさそうに台所に避難する。

翌朝カオサがやってきたとき、僕はまだ寝ていた。たぶんどこかで予期していたのだろう、すくなくとも、車のタイヤが地面にこすれる音や、運転席のドアが開いて閉まる音を聞いたときにはベッドに身を起こしていた。

石段を駆け上がる靴音には、何の躊躇《ちゅうちょ》もなかった。決然とした足どりで、まっすぐ寝室に向かってくる。予想どおり、カオサは怒っていた。それは顔を見ればわかった。でも、彼女がいきなり僕にのしかかり、僕を問い質《ただ》すことも責めることも一切せずに、全力で泣きだすというのは予想外だった。

カオサの重みで仰向《あおむ》けに倒れた恰好の僕は、辛《かろ》うじて彼女の背中に手を添えたものの、言うべき言葉がみつけられず、ただ天井を見ていた。あやうく謝罪の言葉が口をついてでそうになったが、謝るのは失礼な気がした。カオサはともかく枕に顔をおしつけてわあわあ泣き、息苦しいのか、ときどき顔の位置をずらすので、僕の頬は彼女の涙でべたべたになり、首筋も熱い息で濡れた。

家具と呼べるものはベッドしかないこの寝室で、たしかにこれまで何度もカオサと身体を重ねた。僕はカオサが大好きだし、たぶんカオサも僕を好きでいてくれている。それだけのことだし、それはとても幸福なことだ。うまく言えないのだが、僕はこのとき天井や壁や、壁際に置いたままの巨大な革製のトランク――かつて父と共に欧州を旅したトランク――をぼんやりと見ながら、そんなふうに考えていた。

嗚咽《おえつ》が弱まり、それでもしゃくり上げながら、カオサが起き上がった。手の甲で、涙ではなく唇を拭《ぬぐ》う。鼻も頬も赤く、顔の周囲に髪の毛をはりつかせて、カオサは僕を見てにっこりした。照れたように。

「おはよう」

水分の多い掠《かす》れ声で言う。

「おはよう」

僕もこたえた。

「コーヒーをのんでから、要塞まで散歩に行こうか」

誘うと、泣き腫らした顔のままカオサはうなずく。まるで初めてデートに誘われた女の子みたいに含羞んだ笑みを浮かべて。

やかんのお湯が沸く前に電話が鳴った。でるとハマディで、石油ストーヴはぜひ自分に譲ってほしいという用件だった。

テラスごしに見る海も空も空気も、きょうもまた息がとまりそうに、白くあかるい。

# 4　一九八七年　夏

砂は濡れていて、ひんやりとつめたい。それなのに卯月のおでこには、汗のつぶつぶが浮かんでいる。

「暑いの？」

訊《き》きながら、おでこにはりついた髪の毛をかきあげてやった。私が砂に埋めてしまったので、卯月はいま自分では何もできないから。

「暑い。それにまぶしい」

太陽がじりじりと照りつけている。

「重い？」

私は尋ねた。砂浜に仰向《あおむ》けになった卯月の胴体の上に、かなり大きな砂山を作ったのだ。水をつけながら固めたので、表面が滑らかで、たたくとぺたぺたいい音がする。

「動けない」

卯月は言う。目を細め、鼻のつけ根にしわを寄せる。私は笑った。

「変な顔」

卯月はやめない。唇をとがらせて、顔をくしゃくしゃにする。

「何なの？　くしゃみ？」

頭をはげしく左右に振る。そして、

「鼻の頭がかゆい」

と、言った。

日曜日。私と卯月は、桐叔父に連れられて海水浴に来ている。午後の海水浴場は賑《にぎ》やかで、水のなかにも外にもたくさんの人がいる。小さな子供のいる家族づれや、カップルや、大学生くらいの男や女のグループや。いろんな匂い、いろんな音。

「起きてもいい？」

卯月が訊く。

「だめ」

私はこたえる。

こんなにうるさいのに――歓声や、笑い声や、カセットデッキから流れる音楽や、ビーチボールの弾む音や――、桐叔父は甲羅干しをしながら眠っている。日灼《ひや》けした、痩《や》せすぎの身体《からだ》で。

きょうはたまたま遠出だし、引率者は桐叔父一人だけれども、毎週日曜日の運動は、父の指導の下、あい変らず続けられている。律儀につきあっているのは、でも、いまや私と卯月の二人だけだ。近所の人々から「お邸《やしき》」と呼ばれ、半ば好奇の目で見られ、半ば疎んじられている一家の、ちび二人。

「のどがかわいたよ」

卯月が言う。私は水筒のふたをあけて、弟の傍《かたわ》らに膝をついた。

「じゃあ口をあけて」

波音の合間に聞こえる人々の声は、おそらく誰かの名前とか、会話とか、ちゃんとした言葉なのだろうけれどそうは聞こえず、ただきゃあきゃあ、わあわあと響く。

こんなに賑やかな場所にいるのに、私には、自分と卯月がこの世にたった二人だけで残された人間であるように感じられる。

ぬるくなった紅茶を、私はまず水筒のふたに注ぎ、それを卯月の唇のあいだに滑り込ませる。ふたが前歯にぶつからないように、注意深く。卯月の唇は色が薄く、かさかさに乾いている。仰向けの卯月は上手《うま》くのみこむことができず、紅茶をあらかたこぼしてしまう。最初はだらだらと、次にいきなり咳込《せきこ》むみたいに。そして山が崩れかかる。砂を飛び散らせてまず手が持ち上がり、ひび割れた山の下で、卯月はあっさりうつぶせになる。うへー、と言いながら頭を振り、顔についた紅茶をはじきとばした。私は笑いながら山の残骸を押して崩し、弟の脱出に手を貸す。今年十二歳になる卯月は、十三歳になる私より、たぶんもう力が強い。

私たちは砂の上にならんで坐《すわ》り、水筒をまわしあって紅茶をのんだ。私はオレンジ色の水着を着ていて、卯月は紺色の海水パンツをはいている。私たちはどちらもとても短い髪をしており、身長もおなじくらいだ。たぶんそのせいなのだろう、顔は似ていないと思うのに、ときどき双子のようだと言われる。

「暑いね。もう一度泳ごう」

思いきり陽《ひ》に焙《あぶ》られた桐叔父が、そばに来て言う。水筒を渡すと、立ったままごくごくとのんだ。

「すこしだけ沖まで行こう。必要なら浮輪を持っておいで」

私と卯月は顔を見合せ、暗黙のうちに、一つ持っていけばいいと決める。私たちはどちらも父に仕込まれたので泳ぐことができるが、得意というわけでもないのだ。疲れたときにつかまれる浮輪があれば、ずっと安心なことがわかっていた。

太陽が白く輝いていて、水はつめたかった。桐叔父は腿《もも》で水を切りひらきながら、どんどん先に歩いていく。白に近い金髪――染めているのだ、勿論《もちろん》――の頭は、後ろからだと帽子をかぶっているみたいに見える。

「陸ちゃん」

水が私の膝より深くなり、歩きにくくなってくると卯月が言い、手をつないでくれた。

海で泳ぐとき、足のうらが最初に地面をはなれる瞬間、両手を前にのばし、身体を倒すと同時にぶわりと浮き上がる瞬間が私は好きだ。横を見ると、卯月が片方の足首に浮輪をひっかけたまま、器用に犬かきをしているのが見えた。

叔父の自動車はクリーム色で、小さくて古めかしい。車内は、どういうわけかドライフラワーとりんごジュースをまぜたみたいな匂いがする。乾いた、甘い、それでいて不快ではない匂い。卯月が後ろに、私が助手席に乗り、窓を全部あけ放す。冷房のついていない車なのだ。冷房なんて体に悪いよ、暑ければ汗をかけばいいじゃん、と、桐叔父は言う。

泳いだあと、私たちは着替えて、丹念に足を洗った。私と卯月は、海にまつわるあれこれのなかで、この部分がいちばん苦手だ。波で足を洗い、自動車に乗るまでの部分。

「ちょっと待ってて。もう一回洗ってくる」きょうは、私が三回、卯月が四回そう言った。洗っても洗っても、乾いた砂の上を歩くと、砂がまた足につく。足にも、ビーチサンダルにも。寛大な桐叔父も、最後には音《ね》を上げた。

「二人ともいい加減にしてくれよ。軟弱だなあ。砂くらいついたっていいじゃないか」

夕方の光、渋滞した道路。冷房はなくても音楽があるので、ドライブはごきげんだ。ラズベリーズ、ブロンディ、リッキー・リー・ジョーンズ。

去年死んだおじいちゃんは、桐叔父の好むそういった音楽を嫌っていた。うるさいばっかりで浅薄《せんぱく》だ、と言っていた。桐叔父の服装や髪の色や、言葉遣いやある種の行動——私たち子供に人前でキスをするとか——を嫌っていたのとおなじことだ。厳しくて、気難しい人だった。無口で、晩年まで身体を鍛えていて、肉と野菜をたくさん食べた。根の野菜が好きで、葉っぱの野菜はあまり食べなかったけれども。

私は桐叔父の聴かせてくれる音楽が好きだ。泳いだあとのドライブも好き。連なっている自動車のテールランプも。

家に着くと、晩ごはんの時間にぎりぎりだった。卯月と二人で先に自動車をおり、門を閉めた。叔父が自動車を停《と》める。いつもの場所、藤棚のわきに。エンジンが止まり、ドアがあいて閉まる音がして、砂利を踏む足音より前に、小さなオレンジ色の光がつく。叔父の煙草《たばこ》だ。

「荷物はあとでいいよ」

叔父の言うのが聞こえた。夕食のための着替えを急いだ方がいい、という意味だ。

「はあい」

私はこたえ、玄関に続く階段をのぼった。のぼりきる前にドアがあいた。家の灯りを背に、お姉ちゃんが顔をだす。

「おかえりなさい」

私と卯月にそう声をかけてから、手すりに身をのりだし、

「叔父ちゃん、ごめん、千春ちゃんを駅まで送ってもらえない？」

と、夜の庭に向かって言った。

「合点！」

叔父が叫び返す。

「帰っちゃうの？」

玄関に立っている千春ちゃんに、私は言った。

「ごはん、食べていけばいいのに」

「ありがとう。でも明日が早いから。海水浴はどうだった？」

たのしかった、とこたえてサンダルを脱ぐ。

「陸ちゃんに埋められた」

卯月が、わかりにくい補足をする。千春ちゃんは保母さんで、姉の親友だ。

「じゃあまたね」

私たちは彼女に手をふって、それぞれの部屋にかけ込んで着替えた。

親友というのは、私が強い興味を持っているものの一つだ。ハイジにはクララがいるし、スカーレットにはメラニーがいる。メロスにはセリヌンティウスがいて、光源氏に

は頭中将《とうのちゅうじょう》がいる。姉には千春ちゃんがいて、卯月には文ちゃんがいる。おばあちゃんと隣家のシズエさんは「大の仲良し」だし、聞いた話では、おじいちゃんにも「無二の親友」がいた。それは私のもう一人のおじいちゃん、父の父だ。随分若くして亡くなっていて、私は会ったことがない。

夕食は、スープとサラダ、ミートローフとマッシュポテトだった。最後にでるのが白いごはんではなくカーシャだと知っていたので、私はおかずを食べすぎないように気をつけた。カーシャというのはロシア風のピラフで、母と百合叔母の好物。

「アルバイト、ほんとうに休んでもいいの？」

母が、もう何度も尋ねたことを、また姉に尋ねる。

「あちらの親御さんは、ほんとうに構わないとおっしゃったの？」

それは大切なことだ、と言わんばかりに、父もフォークを置いてナプキンで口を拭《ぬぐ》った。

「大丈夫よ」

姉は微笑《ほほえ》む。

「一週休むだけだもの。全然問題ないわ」

「それならいいけれど」

母は言い、それでもまだ心配そうな顔をしていた。

「アルバイトとはいえ」

静かな声で父が言った。

「家庭教師というのは責任の重い仕事だからね」

私には、姉が肩をすくめるところが見えるような気がした。肩をすくめ、たとえばこんなふうに言うのだ。わかってるわ。でもいまは夏休みだし、私は合宿に行かなくちゃならないわけだから――。

「了解」

姉の返事はひとことだった。にこやかな、そしてきっぱりとした。

私たちの姉は、去年大学に入学した。様々な点で、それは大きな変化だったのだと思う。大学生活が、あきらかに姉は気に入っている。おなじ部屋で寝起きしているので、私にはそれがよくわかる。新しい場所と新しい生活、新しい――というか、おそらく初めての――ボーイフレンド。

大学に入学してから、姉にはお友達がたくさんできた。男も女もいて、みんなよく家に遊びに来る。でも、そのなかに一人だけ、姉と特別に親しそうな男の人がいるのだ。彼と姉は、他のお友達がたとえばみんな庭にいるときに、二人だけで別の場所にいる。もちろんいつもというわけではないけれど、図書室で話しこんでいるのを何度か見たし、一度なんか、中国の部屋にこっそり入って鍵までかけるのを、偶然見てしまった。

中国の部屋というのは我家の客間の一つで、かつては麻雀《マージャン》とかトランプとかの、遊びのための部屋だったらしい。いまはほとんど使われていない。小さいけれど日あたりがよく、裏庭に向かって半分せりだしたような形をしている。色褪《いろあ》せた壁紙の、蝶々とか唐子《からこ》とかの柄がかわいくて、私はなんだか気に入っている。

紹介してもらったことはないので、その男の人の名前は知らない。学生で、小柄で、特別目立つところはない。でも彼が姉を、遠慮がちに、それでいてあきらかな賞賛の念を持って、見つめていることは知っている。

「妹さん？」

彼が姉に向けて発した言葉は、それだけしか聞いたことがないけれども。

恋。それも、私が強い興味を持っていることの一つだ。キャサリンにはヒースクリフがいて、光太郎には智恵子がいた。フィッツジェラルドにはゼルダがいたし、ジェイクにはヘレンがいた。どうしてそういうことになるのだろう。他の組合せではいけないのだろうか。どれがそれか、どうすればわかるのだろう。

私は、ミートローフを口に運ぶ姉の横顔を見る。ここ数年で驚くほど痩せたことを除くと、無造作な服装も、まっすぐな長い髪も、もっちりした化粧気のない白い肌も、眼鏡をかけていることも、子供のころと変りがない。

「僕のマッシュポテトには、グレーヴィはかけないでって言ったのに」

兄が言った。

「どうして憶《おぼ》えててくれないのかな」

文句というより泣き言みたいな口調だった。

「そうだったわね、ごめんなさい」

母が謝る。

「つい忘れてしまうのよ。だってあなた、最近まで好きだったでしょう。グレーヴィが」

「好みは変るんだよ」

そう言った兄の声は、今度は不機嫌そのものだった。眼鏡の奥の、眉と目が険しい。

「もうカーシャをもらってもいい？」

卯月が言った。私も、と、私と百合叔母が言い、母と祖母が同時に立ち上がった。

「手伝うわ」

姉が言った。


野村さんが本式の引退をしてしまったので、私は歴史と漢文を、新しい先生に教えてもらっている。英語のミズ・ウォレスは変らない。数学その他の迫田先生も。ただし、あの卯月と私は別々に授業を受けている。私たちがほんのすこしだけ小学校に通った、あの奇妙な年のすぐあとからそうなった。

卯月はとても賢い弟なのだけれど、机の上でする勉強、ということになると、その賢さを十分には発揮できないのだ。

水曜日。私は図書室で、兄は自室で、卯月は応接間で、それぞれの先生の授業を受けている。おもては晴れていて暑く、セミがけたたましく鳴いている。

きのう、姉は馬術部の合宿にでかけた。期間は一週間で、行き先は長野県だという。女子だけの合宿だというから例のボーイフレンドは一緒ではないはずで、でも姉はとてもいきいきと、楽しそうにでかけた。夏休みに入り、会えずにいたお友達とひさしぶりに会えるし、合宿所の馬との、一年ぶりの再会も嬉《うれ》しいのだと言っていた。私には、そういう気持ちはよくわからない。わからないわけではないかもしれないが、それだって、たぶん想像しているだけにすぎない。本の外の世界、この図書室の外の世界――。

そうそう、二カ月前に、我家にはじめてテレビが来た。この変化も、去年祖父が死んだことと関係があるのだろう。テレビは応接間に置かれているが、扉つきの棚に入っているので、普段はみることができない。「みる必要のあるものだけ」みることになっているのだ。私たちは父に、「どうしてもみたいものがあれば、みてもかまわない」とも言われている。でも、テレビにどんなものが映っているのかはみるまでわからないのだから、あれは無意味な許可だった。すくなくとも昼間、私の知っている限り、棚の扉は閉じられたままだ。

私には、扉の向うでテレビが恥入っているのが感じとれる。場違いなところに連れてこられて、敬意も払われず、困惑しているのが。それは、遠い日——私たち三人がほんの一時《いっとき》小学生になったあと、安全な家のなかに戻れて心がふるえるほどほっとしていたあの日々——に、誰にも顧みられずに部屋の隅に放置され、埃《ほこり》を積もらせていったランドセルや体操着に、感じた痛みとよく似ている。

夏みかんの木の葉は深緑でつやつやしている。厚ぼったいし密集してつくので、ちょうどいい木陰ができる。地面に直接すわっているので、私のお尻も私の腿も、ひんやりとつめたい。

ここから眺める庭はまぶしい。物は何一つ動かないのに、木もれ日や蝶々がふいにちらちら動くので、何だか騙《だま》し絵みたいに見える。自分だけが日陰にいて、まわりは全部日なたで。

遊ぼうと思って本やしゃぼん玉液や、虫めがねや万華鏡を持ってきたけれど、なんとなくどれにも手をつけないでいる。むうっとする夏の風、空気がゆらゆらする。

勿論卯月ほどではないけれど、私もこの庭のことなら隅々まで知っている。どの季節に、どこに何の花が咲くかも、もぐらを目撃する確率のいちばん高い場所がどこかも、どの木の枝の餌台に、メジロやヒヨドリがたくさんやってくるかも。

去年まで、藤棚の支柱とその横の木の枝のあいだに、ハンモックがぶらさげてあった。おじいちゃん専用のハンモックで、晴れた昼間には色とりどりのクッションが、つねに積み重ねられていた。クッションはおばあちゃんの手製で、タイや中国から輸入したシルク特有の、あざやかな光沢が庭によく似合っていた。

おじいちゃんはよくそこで本を読んでいた。あるいは、顔に帽子をのせて昼寝をしていた。藤棚の上に煙草盆を置いて。

たしかにおじいちゃんは無口だった。母や百合叔母や桐叔父がよく言っていたように、「頑固」で「融通がきかなかった」かもしれない。夕食がすむと他のみんなのように居間で寛《くつろ》ぐことはせず、すぐに部屋にひきあげてしまったし、家族で買物や外食に行くときも、滅多に一緒に来なかった。

でも私にはやさしかった。アヂーン（一）からヂェースィチ（十）までの数え方とか、ズドラーストィ《こんにちは》、スパスィーバ《ありがとう》、ザミチャーチィリナ《すばらしい》、といったロシア語を教えてくれたのはおじいちゃんだし——でも、ロシア語といえば、忘れられないのは「ラードナ《わかった》、ラードナ《わかった》」だ。これは教えてもらったわけじゃない。おじいちゃんがおばあちゃんに対してだけ、ときどき使っていた言葉だ——、犬たちの話を聞かせてくれたのもおじいちゃんだ。

犬たち——。私は見たこともないけれど、この庭には六頭のポインターが眠っている。

やんちゃで、ドッグボーイの言うことをちっともきかず、おじいちゃんの言うことだけ忠実にきいたマクシミリアン、ものすごく賢かったイーガリと、おばかさんだけれど子犬みたいに元気のあり余っていたボーリャ。箱根の山で不慮の死をとげてしまったヴィンセントと、母のお気に入りだったフルスチャーシエ、気立てがよくて、決して吠えなかったマウルス。一度に二頭ずつ飼われていた犬たちは、私が生れたときにはみんな死んでしまっていて、でも、空っぽのケージだけはいまもそのまま残っている。

口髭《くちひげ》は立派だったけど、おじいちゃんはつるつるに禿《は》げていた。小柄だけれどがっちりした身体つきで、おばあちゃんはよく「農夫のような風格がある」と言っていた。煙草喫《の》みだったので、手の指に枯葉みたいなにおいがしみついていた。まわりに誰もいないとき、おじいちゃんは自分用のボンボンやチョコレートを、こっそりわけてくれたものだ。内緒だ、と小声で言って。

急いでしゃぼん玉液を手にとったのは、玄関の戸があいて、姉のでてくるのが見えたからだ。姉はたぶん、夏みかんの木の下に一人ですわっている私に気づくだろう。子供が何もせずにすわっていると、大人というのは心配するものだ。そして、姉はもう大人だった。この家の、外の世界を受け容《い》れているのだから。

「陸ちゃん」

予想通り、姉は気づいた。やって来て膝をかがめ、

「何してるの？」

と、訊いた。

「しゃぼん玉」

見ればわかるでしょ、という口調で私はこたえ、コップの中の液体を、ストローではばちゃばちゃかきまわした。ついでにふうっと吹いて、しゃぼん玉を三つとばした。

「きれいね」

目を細めて見送って、姉は言う。

「卯月は？」

尋ねられ、知らない、とこたえた。

「めずらしいわね。いつも一緒なのに」

ほんとうは、卯月がどこにいるのか勿論知っていた。隣の家に、祖母と二人で行っているのだ。シズエさんの孫の文ちゃんが、夏休みで遊びに来ているから。

「お姉ちゃんはどこに行くの？」

尋ねると、

「映画よ」

というこたえが返った。

「でもきょうは、晩ごはんまでには帰るわ」

「千春ちゃんと？」

「いいえ。大学のお友達と」

いってらっしゃい、と、私は言った。きっとボーイフレンドと行くのだろうと思ったけれど、それは言わなかった。

姉が行ってしまうと、庭はまたしんとした。私はしゃぼん玉をたて続けにとばす。上へ上へ、神様によばれているみたいにのぼっていくしゃぼん玉たち。

おじいちゃんは、ときどき図書室にやってきた。ただ本を取りにくるだけのときもあれば、私がどのくらい大きくなったか確かめにくるときもあった。そんなときは、

「ひさしぶりだな」

と、言った。毎日、すくなくとも夕食のときには会っているのに。でも私は「うん」と言ってうなずく。おじいちゃんがそう言ったときには、次に何が待っているかわかっていた。

本箱の一つに、かかとと背中をぴったりくっつけて、私は立つ。

「あごを引いて」

おじいちゃんは言い、私の頭の上に三角定規をあてがう。一瞬ぐっと押さえつけられるので、すごく重い。

「動くな」

それは壁際に置かれた本箱で、そこに私の大きさの印があることは、私とおじいちゃんだけの秘密だ。刻まれる印はとても小さく、横に書き込まれる日付がなければ見分けがつかない。そして、その日付を見るためには、いつもそこにあるフロアスタンドをどけて、壁とのあいだの狭い空間に入り込んで、じっと目を凝《こ》らさなくちゃならない。

セミが鳴いている。上へ上へのぼるしゃぼん玉は、日ざしをうけてきらきらし、でもいきなり弾《はじ》ける。あちこちで、音もなく。

藤棚の横に、ハンモックはもうぶらさがっていない。

「お風呂をもう一つ造ろうと思ってるんだ」

父がそう言いに来た場所は朝食室だった。雨で、室内はうす暗く、蒸し暑かった。私たち——私と卯月と、姉と兄——は四人で朝食を終えるところだった。パンと玉子、ほうれん草をヨーグルトで和《あ》えたサラダ。

「どこに?」「いつ?」「どうやって?」あれこれ尋ねたのは、私と卯月だった。うすいピンク色のシャツにグレイのずぼん、という恰好《かっこう》の父は、丁寧に質問にこたえた。この家では、物事を決めるのは大人と決まっているのだが、子供にもきちんと説明がなされることもまた、決まっている。いつも。

新しいお風呂は、家の端の曲がっている角、いままでのお風呂と中国の部屋に面した裏庭の隅、に造られるらしい。それはいい考えに思えた。あそこは裏庭のなかでもちょっとした死角になっている。日あたりが悪くじめじめしているし、植物は何も植えられていない。荒木さんが庭仕事をするときに、よくそこに道具を置いていた。たてかけられた熊手や竹箒《たけぼうき》、赤いペンキのはげはげになった手押し車には、汚れた軍手が必ず一組ひっかけられていた。でも、その荒木さんも、もうここで働いてはいない。

「嬉しい」

姉が言った。

「せめてシャワーだけでももう一つあればいいのにって、ずっと思ってたの」

「うん、あそこならいいよ」

庭を自分のテリトリーだと考えている卯月でさえ同意した。

「でも虫がでたりしない？」

私は訊いてみた。何しろあそこはじめじめしていて、壁にも地面にもへんな虫が這《は》っているのだ。

「大丈夫」

にっこりして、父が請け合う。

「そのへんは、業者がきちんとしてくれるよ」

「増築するってこと？」

それまで黙っていた兄が、耐えかねたように口をひらいた。おもての雨音が、強くなった気がした。

「でもシャワーなら、お父さまたちの寝室についてるじゃないか」

その通りだった。両親の寝室と、それから百合叔母の寝室にも、小さなバスルームがついている。みんながいっぺんにシャワーを浴びる必要のあるときや、急いでトイレに行きたいのに誰かが入っているときには、みんなそこを借りて使っている。

「いまは、お風呂場を一つ造る話をしているんだ」

父が言った。

「この家のどこにシャワーがついているかという話じゃなくてね」

兄は悲しそうな顔をした。

「だけど、増築するんなら僕の部屋も造ってくれてもいいじゃないか」

兄の口調と父の表情で、それがいま初めて持ちだされた話題ではないらしいことがわかった。十六歳の兄が、自分の部屋を持ちたいと思うのは当然かもしれない。でも、私は猛烈に腹が立った。いまここで、その話を持ちだすことはないではないか。一つの部屋を一緒に使っている卯月の目の前で。たぶん父もそう感じたのだと思う。

「わかってるよ」

と言った声が、小さかった。

「その話はもうすんだと思っていたよ。言っただろう？　近いうちに何とかしようって。増築なんかしなくたって、部屋は幾らも余ってるんだから」

　身長は父よりもわずかに低いが、体重はずっと多い大柄な兄――胸にポロのマークのついた、黒いTシャツを着ている――は、あからさまに顔をそむけた。まるで、父を見たら咬《か》みついてしまうとでも言わんばかりに。

　父が朝食室をでていくと、ようやく空気がほどけた。私はため息を一つついて、

「お兄ちゃん、大人げない」

　と指摘した。寄宿舎に範を取る、という祖父の考えで、私たちは二部屋に暮しているのだが、どちらの部屋も、もともと会議室とか娯楽室とかだった部屋で、かなり広い。兄は中央にチェストと本棚とステレオをならべ、間仕切りのようにしている。部屋の半分とはいえ、個室とおなじくらいのスペースがあるのだ。それに、卯月は滅多に部屋のなかで遊ばない。そんなことでぐずぐず言うなんて、大人げないし男らしくもないと、私は思う。

「スペースの問題ではなくて、プライヴァシーの問題なんだ」

　ぼそぼそと、力ない声で兄が言い、驚いたことに、テーブルの上の兄の手を、姉がぽんぽんと叩《たた》いた。なぐさめるように。

「みじめなニジンスキー」

そしてそう言った。兄は返事をする気分ではなかったらしく、一瞬躊躇《ちゅうちょ》したのだが、習慣なので仕方なく、

「かわいそうなアレクセイエフ」

と、こたえた。私は眉を持ち上げて、呆《あき》れ顔をつくった。姉も百合叔母も、どういうわけか兄を甘やかしてしまうのだ。

卯月はぼんやりと窓のほうを見ていた。他の人の目には、窓越しに雨を見ているように映っただろう。でもそのとき私にはわかった。卯月は窓の鳩《はと》を見ているのだった。白と青と緑と三羽いる窓の鳩を、あるいは、鳩の模様のステンドグラスを。

台所に食器を運び、二階に上がろうとしたとき、居間からピアノの音がきこえた。バッハだった。

「どうしたの?」

私が立ちどまったので、卯月が訊いた。訊かれても、どうこたえていいのかわからなかった。ピアノの音は、家ではしょっちゅうきこえている。

「雨、すごいね」

卯月が言う。雨音から察するに、おもては土砂降りといってよさそうだった。雷の警報だか注意報だかがでていると、そういえば母が言っていた。

でも、私が立ちどまったのはそのせいではなかった。卯月が行ってしまっても、私は

廊下に立っていた。弾いているのは百合叔母だと、ドアをあけなくてもわかった。母も桐叔父もピアノを弾くが、こんなに力強く、激しくバッハを弾けるのは百合叔母だけだ。いまきこえているそれは、正確だけれど荒々しくて、息苦しいみたいなバッハだった。テンポの速いスタッカートの部分の方が、感傷的なメロディの部分よりずっと悲しくきこえるような。

演奏の切れ目まで待って、私は二階に上がった。

ひさしぶりに野村さんが遊びに来たのは、八月の最後の日曜日だった。

その日、私たちは家の前の道路でドッジボールをした。私と卯月と父と桐叔父の、運動。枠は父が蠟石《ろうせき》でかく。空は青く晴れて、入道雲がわいていた。

四人でするドッジボールはとても大変。私は逃げるのは得意だけれど、取るのが苦手なのだ。そうすると、いったんボールが敵の手に渡ったが最後、ひたすら攻撃にさらされて、一人で逃げ続けることになる。

「取れ！　陸子取るんだ！　取れる！」

反対側の枠の外から、桐叔父が大声で叫んで励ましてくれたけれど、私にはどうしてもそれができない。でもいいのだ。逃げるのは楽しい。逃げて逃げて逃げる。そのうちに息がきれて、笑い声もたえだえになり、ついにぶつけられる。

私が枠の外の役のときは、ゲームがもうすこし長保《ながも》ちする。枠のなかで、桐叔父が果敢にボールを取って攻めるからだ。でも卯月も負けていない。胸や腕に痣《あざ》をつくりながらもボールを受けとめて、外側にいる父にパスするか、叔父めがけて投げつける。

叔父は、三回に一回くらい私にパスする。取れないと知っていてもするのだ。直接卯月にぶつけようとしてくれれば、卯月が逃げたときに私はボールを拾えるのだけれど、飛んでくるボールを受けとめる練習を、私にさせようとするのだ。父と組んでも、卯月と組んでも、おなじことが起こる。

組合せを変え、枠の内外の役割りを変えて、六ゲーム終えるころには四人とも汗だくになっていた。

「ああ、おもしろかった。ドッジボールって大好き」

庭を歩きながら私は言い、それは嘘《うそ》ではなかったけれど、毎週日曜日の運動のとき、かつては間違いなく卯月のものだった「おみそ」の座が、いつのまにか私のものになっていることをはっきりと意識していた。卯月は私にボールをぶつけようとするとき、父や叔父にぶつけるときとおなじアクションで、でもずっと弱い力で投げる。

昼食のあと、私は図書室ではなく居間で本を読んでいた。野村さんが来たら、いちばんに玄関にでて迎えたかったからだ。三時に来ると言っていた。野村さんは時間に遅れたためしがない。

麻のシャツに、白い木綿の半ずぼん、麦わら帽子。家の前の坂がきつくてやや息をきらし、汗を拭《ふ》いたハンカチを握りしめたままではあったけれど、野村さんはにこにこしていた。

「こんにちは。ようこそいらっしゃいました」

私は新しいお手伝いさんより早く玄関にでて、言った。

「こんにちは、陸ちゃん。こりゃあ暑いね、どうにも」

野村さんの皮膚はたるんでいる。目の下も頬も、首も。色は白く、腕や脚は細く、血管が浮いている。半ずぼんからのぞく膝小僧の、なんて飛びだしていること。

「そら、これ、おみやげ」

青い紙とセロファンのかけられた、病人に持っていくお見舞みたいなバスケットを受けとった。包み紙の端から、桃とすももがすこしだけ見える。

すべての椅子に白いカヴァーのかけられた、お客様用の居間にお茶の用意がしてあった。私たちが、「奥の居間」と呼んでいる部屋だ（ピアノのある、家族の集る居間は、「すぐの居間」）。

桐叔父を呼んでくるように祖母に言われ、私は階段を駆けあがった。部屋を見ると、でも空っぽだった。窓があけっぱなしになっていて、蜂が一匹飛びまわっていた。アールデコ調の大きな鏡、ゼブラ革のフロアスタンド、積み上げられた本や雑誌、石けんに似た匂い。

ドアを閉め、階段を駆けおりる。中二階の端、朝食室の真上に位置するサンルームに飛びこむと、案の定、叔父はそこに寝ていた。

「野村さんがいらしたよ。それからお部屋に蜂がいる」

籐椅子《とういす》の上の裸体を見おろして、私は言った。すぐそばにつくねられた服を抱え、叔父の上に落とした。

「お父さまに叱《しか》られるよ、すっぱだかだと」

叔父は眠そうに片目だけあけて、いかにも幸福げにのびをする。部屋じゅうに溢《あふ》れ返ったガラスごしの日ざしに、うっとりと表情を和《なご》ませて。

「叱られないよ。陸子は秘密の守れるプリンセスなんだから」

それ以上日に灼けたら焦げすぎのめざしみたいになるわよ。百合叔母にいつもそう言われているのに、桐叔父は日光浴をやめようとしない。

「みんな、奥の居間にいるから、早く来てね」

私は言った。

野村さんは、祖母とも母とも頬をつける挨拶《あいさつ》をした。父とは握手をし、桐叔父とは抱擁をし、誰かが入ってくるたびに立ったり坐ったりして、それからやっと、椅子に落着いた。

「奥さまはお元気ですか」

　母が尋ねる。

「あちらの生活にはもう馴《な》れられまして？」

　あちら、というのは蓼科《たてしな》のことだ。スキーもできて川釣もできるその土地に、野村さんが移住したのは去年だった。生れ育った東京を離れ、それまで別荘にしていた家に越した。

「元気ですよ。ウォーキングと手作りに凝りだして、いまじゃバターまで自家製」

　野村さんはそう言って笑った。その奥さんは、きょうは娘さんと芝居見物に行っているという。東京には、夫婦揃《そろ》ってあさってまで滞在する。それというのも、「息子のところにだけ泊ると娘が妬《や》くし、娘のところにだけ泊ると息子が怒る」からで、「公平に、両方に二晩ずつ」泊らなくちゃならないからだ。野村さんはそんなふうに話した。

「お幸せですね。義父《ちち》が生きていたらうらやましがりますよ」

　父がひっそり微笑んで言うと、野村さんは破顔一笑し、

「まさか。あれだけ頑固に好き勝手して、子供たち孫たちに囲まれて、余人もうらやむ大往生だったじゃないですか」

　と、こたえた。こたえたくせに、いきなり淋《さび》しそうな表情になり、

「でも、逝《い》っちゃったなあ」

と、呟《つぶや》く。

「まあ、あっちには新沢さんがいるから安心だけど」

そうそう、と、桐叔父が口をだした。

「再会して、酒でも酌交《くみかわ》してるよ、きっと。心配ない、心配ない」

桐叔父の、こういうところが私は好きだ。みんなを安心させ、その場の空気をあかるくしてくれる。

「きょうは、百合ちゃんと望ちゃんは？」

キャビアをのせたブリニを一つつまんで、野村さんが訊いた。

「ごめんなさい。二人とも学校の用事があるとかで、朝から外出してしまって」

母がこたえる。野村さんは、ああそう、と言ってブリニをのみこみ、とくに気をわるくした様子もなかったけれど、私は心苦しかった。父と祖母をのぞくと、私たちみんなにとって、かつて野村さんは家庭教師だった。姉にとっても、百合叔母にとってもだ。祖父が生きていたら、家族のお客様のある日に誰かが留守にすることなど、許されなかったはずだ。

お茶のあとで、まず大学受験資格試験を控えている兄が、次に私が特別に勉強をみてもらえることになった（卯月は困ったような顔をして、でも言葉の上では随分ときっぱり辞退した。「僕はいいです。だって、日曜日だし」)。

「ちっとも変られないわね」

野村さんが兄と二階に行ってしまうと、母が言った。

「あいかわらず声の大きい爺《じい》さんだよね。昔はあれがこわかったな」

桐叔父が言い、ほんとほんと、と、母も同意する。この部屋は他の部屋より温度が低い。日があたらないからだろうか。使われなくなって久しい暖炉、その前に敷かれたおそろしく古びた青い絨緞《じゅうたん》。

「卯月もみていただけばいいのに」

私は弟に言ってみた。

「野村さん、もう滅多にいらっしゃれないんだから」

「いらない」

卯月は即答した。

「野村さんのことは好きだけど勉強は嫌いだし、それにあのひとを見ているとおじいちゃんを思いだしちゃうから」

無表情だったけれど、声にがさした痛みがこもっていた。祖父が死んだとき、泣かなかった卯月を思いだした。いまにも泣きだしそうな顔をしたまま、でも最後まで泣かなかった。そして、あの曇った春の日に、火葬場の建物から砂利敷きの中庭みたいな

ところにでて、

「陸ちゃん」

と言った卯月がこっそり見せてくれたもののことを思った。

それは骨だった。サンゴみたいに小さな穴はあいていたものの、白くてきれいな、四角ばった骨で、まわりにくっついた灰ごと、卯月は手のひらに握りしめていた。私はびっくりしたけれど、それが祖父だということがわかった。たったいま壺に納められた残りの大量の骨じゃなく、卯月の手のなかの、小さな確かな一つにだけ、祖父がいるのが――そして、無事に火葬場の外に生還したのが――ちゃんとわかった。

骨を、卯月は祖父の喫《す》っていた煙草の空き箱に入れた。それはいま、家のなかの秘密の場所に隠してある。私と卯月しか知らない場所だ。

兄の授業が思いのほか長かったので、私に残された時間はあまりなかった。台所では夕食ができあがりそうな様子だったし、野村さんは奥さんと娘さんと約束があった。

夕方と夜のあいだの時間で、図書室は電気をつけないと暗いが、つけてしまうとたちまち空気中の何かがそこなわれる。たとえば晩夏《おそなつ》の気配が。裏庭の木も、昼間ほどくっきりは見えないけれど、夜ほど黒々と闇に沈んでもいない。家庭教師のときの野村さんはいつも背広を着ていたので、こんなふうに砕けた服装の野村さんと二人きりで、電気をつけてしまったせいで夕闇に浮かぶ宇宙船みたいに思えるこの図書室に、坐っているのは奇妙な気がした。

「さて」

背すじをのばし、ごつごつした両手を膝に置いて、野村さんは言った。

「最初に年寄りの注文からきいてもらえるかな」

もちろん私はうなずいた。どんな注文なのかわからなくて、ちょっと緊張したけれども。何か漢詩を読んでほしい。野村さんは言った。新しい先生が、ほめてくれたのだそうだ。さすがに野村先生の教え子だけあって、陸ちゃんに白文《はくぶん》を読ませたら、私などてもかないません、と。新しい先生の専門はドイツ史および北欧文学だそうだから、でもそれは仕方のないことだと私は思う。

棚から『唐詩選』の一冊と、隣にあった『唐詩三百撰』をとりだして、起立して読んだ。

「黄鶴樓送孟浩然之廣陵、李白。故人西辭黄鶴樓、煙花三月下揚州、孤帆遠影碧空盡、唯見長江天際流」

野村さんは目をつぶって聞いている。身じろぎもしない。私は続けて陳子昂《ちんすごう》を読み、王昌齢《おうしょうれい》を読んだ。そして杜甫《とほ》を。

「客至、杜甫。舍南舍北皆春水、但見群鷗日日來、花徑不曾縁客掃、蓬門今始爲君開、盤飧市遠無兼味、樽酒家貧只舊醅、肯與隣翁相對飲、隔籬呼取盡餘杯」

「いい声だ」

力強く、野村さんは言った。

「立派なもんだ」

目をあけて、愉快そうににっこりして。

それから私は、いまテキストにしている本を何冊か野村さんに見せた。『ヨーロッパ百年史』とか、『ルネサンスの美術』『博物志』『日本昔話百選』とか。

庭はもうすっかり暗く、気の早い秋の虫の声がしていた。夜の蟬《せみ》の声も。その二つはいっぺんには鳴かない。片方がひとしきり鳴き、鳴きやんで静かになると、もう片方が鳴きだすのだ。それについて、私たちは話した。つまり、おなじ庭に同時に存在していながら、蟬たちと秋の虫たちが同時に鳴かないのはなぜか。何らかの合図でも送りあっているのか、自然界の規律のようなものなのか、それとも単なる警戒心だろうか、云々《うんぬん》。

野村さんは調べておくと言った。次に遊びにくるときまでに、そういうことにくわしい友人に尋ねておく、と。

時間がきた。野村さんは、桐叔父が駅まで自動車で送ることになった。私たちは玄関に整列し、「お気をつけて」とか、「またすぐお遊びにいらして下さいね」とか、口々に言った。野村さんは麦わら帽子のひさしにちょっと手をやって、「じゃ、また」と言って帰っていった。仁丹《じんたん》の匂いだけ残して。

そのとき私は思った。別れるとき淋しくて、一緒にいて愉《たの》しく、信頼できて、単純に好きだと思える人、言葉にしなくても、互いにそれがわかっている人。それをもし親友と呼ぶのなら、私のそれは、野村さんかもしれない。

夕食のあと、お風呂に入って部屋に戻ると、姉が窓から手だけだして花火をしていた。

「ちゃんと庭にでてすればいいのに」

私は近づいて、言った。

「ここの方がいいの」

姉はこたえる。小さな花火一本なのに、随分煙があがっている。しゅるしゅるいう音と、雨みたいにこぼれる青白い光。

「陸子もする？」

する、とこたえ、姉の横にならんで立った。しましまの紙の巻かれた、派手な一本を手渡される。窓台に置かれたろうそくにかざすと、先っぽの紙がめらっと燃えた。急いで手をのばす。同時に、しゅうしゅうと音がして光がこぼれた。白くあかるく、飛び散る水みたいななめらかさで。

「きょうはどこに行ってたの？」

花火を見つめたまま、私は言った。

「せっかく野村さんがいらしたのに」

姉が、横で微笑したのがわかった。

「いい子ね、陸ちゃんは」

と、言う。

「デートだったの？」

私は尋ね、腕をまっすぐ前にのばした。花火と腕が、一直線につながるように。こうすると、自分の指先から光がでているみたいに見える。まるで光の出血みたいに。

「たのしかった？　お家にいるよりも？」

重ねて訊くと、くすくす笑いだけが返った。姉が袋から次の花火をだす音がして、光が、ろうそくの焔《ほのお》を含めると三つになる。そして、いきなり腕をからめられた。

「あぶないよ、お姉ちゃん、やめて、花火が揺れちゃうよ」

姉は気にしない。くすくす笑ったまま腕に腕をからめ、肘をまげて自分の花火を見つめる。

「大丈夫よ。陸子は臆病《おくびょう》ね」

不思議な感じだった。私の右手と姉の左手。窓の前でたった二人でひしめきあって、肩がくっつき、おしりもぶつかり、でも肘を張り、手の先の火は揺らさないように、落とさないように——。

「陸ちゃん、いい匂い」

姉が言った。

「そう？」

息を吸い込んだが、煙と火薬の匂いがしただけだった。あとは湿った夏の夜気と、お風呂あがりの温かい肌の匂い。

「お姉ちゃんもお風呂に入ってくれば？」

私は言った。

「そうすればおんなじ匂いになるよ」

夜のなかで、姉の横顔は頰がふっくらして、とても白く見えた。

翌週には、増築のための職人さんたちがやってきた。朝早くに四、五人で現れ、黙々と仕事をして午後の早い時間にはひきあげていく。私と卯月は毎日裏庭に立ち、彼らの作業を見守った。地面に枠だけができたときには感激した。なんてシンプルな構造なんだろう、と思って。それからいろんなものが運び込まれた。機械、器具、長い長い、灰色の管の巻かれた糸巻き状のもの。

午前中に一度、母がお手伝いさんとお茶を運んだ。お茶にはお菓子が添えられていたり、サンドイッチが添えられていたりした。昼になると、彼らは持参のお弁当を使った。

大きなまるいやかんも一人が持参していて、家にあるやかんではなくそれに、お湯をわかして欲しいと言うのだった。

作業はみるみる進捗《しんちょく》した。私と卯月の目の前で。土台が固まり、サウナ室用のベンチが組みたてられ、新しいバスタブが据えつけられるまでに、たった二週間しかかからなかった。

飽きもせずに見ていたのはおもしろかったからだし、知らない人たちがどやどやと道具を持ってやってきて、この家に一体何をするつもりなのか心配だったからでもある。それに、削りたての白木のうっとりするほど清冽《せいれつ》な匂いが、周囲に漂っていたせいもある。

でもほんとうは、淋しかったのだと思う。そこにいるあいだ、私と卯月はほとんど言葉を交さなかった。

「幾つ?」

とか、

「おもしろいかい?」

とか、尋ねられれば返事をしたし、木切れとか小さな金属の板（のぞくと歪《ゆが》んだ顔が映った）をもらえばお礼を言ったけれども、あとはたいてい黙って木にもたれるか、物置きから拾ってきたレンガに腰掛けるかして、働く人たちをじっと見ていた。

「もう家に入ったら？」

百合叔母にそう言われたし、

「お仕事のおじゃまよ」

と、母に窘《たしな》められもした。それでも私たちは動かなかった。湿度も気温も高い、その夏の最後の日々で、日陰なので地面は湿っていたけれど、見上げると空はぽっかりと青かった。

あのとき私たちが眺めていたのは、庭の一角にみるみるできあがっていく建物ではなかった。白木のベンチでも新品のバスタブでもなく、赤や黄色の線がうねうねとくっついた配電盤でもない。目をこらして、息をつめ、私と卯月が一心に見守っていたものは、みるみる失われていく庭の一角だった。壁に這っていた虫であり、土であり、かつてそこにたてかけられていた熊手であり竹箒であり、いなくなってしまった荒木さんであり、祖父であり、そこに流れていた時間だった。

# 5　一九六〇年　秋

彼女が私に秘密裡《ひみつり》に事を運んだ。淋《さび》しさは、しかしわずかに遅れをとった。桐之輔から説明を聞き、私はまず微笑《ほほえ》んだのだから。桐之輔は腑《ふ》に落ちない顔で私を見た。

「豊さん、知ってたの？」

知らなかった、とこたえたが、本当に知らなかったのかどうか、ふいに自分でも確信が持てなくなった。

「聞いてはいなかったよ、すくなくとも」

それでそう言った。桐之輔はうつむく。再び顔を上げたとき、そこにはあきらかに私を気遣う表情が浮かんでいた。

「豊さんにはちゃんと話すべきだって言ったんだけど」

衿《えり》にりぼんのついたシルクブラウスと、紺色のベルベットのずぼん。今年十五歳になる桐之輔は、まだ幼さの残るほっそりした顔に、痛々しいほど心配の色を刻んでいる。

「僕は口止めされていたし、どっちみちそんなにいろいろ教えてもらえなかったんだけど、それでもほら、信頼されて打明けられた秘密は守らなきゃならなかったから」

「もちろんだよ」

安心させる口調を心掛けて言った。

「それで、豊さん今夜はうちに来てくれる？」

桐之輔は、私にとって弟のような存在だ。何しろ彼の誕生を、おなじ家のなかで待っていたのだ。彼の二人の姉と一緒に。

最愛の姉にでていかれて途方に暮れているはずの、桐之輔の頼みを断れるはずがなかった。

「うかがうよ。もちろんうかがう」

こたえたあとでようやく、私は私自身も途方に暮れていることに気づいた。途方に暮れ、傷ついていることに。

彼女が家をでたいと考えていることは知っていた。それについては何度も話しあったし、実際、一緒に行こうと誘われさえした。

「あの人の言いなりになるつもりはないわ」

最後に話しあったとき、彼女はそう言った。

「あなたも、あの人の言いなりになる必要はまったくないのよ」

あの人とは彼女の父親であり、私の名付け親にして雇用主である柳島竹治郎《たけじろう》さんだ。

働いてお金を得る、ということをしてみたいのだ、と彼女は言った。女子大も優等で卒業したのだし、社会をこの目で見たいと思うのは当然のことだ、自分は妹の百合ちゃんと違って、家のなかで大人しくしていられる質《たち》ではないのだし、それを認めず、女性に職業は不要だと考えるようなあの人は、とんだトンチキだ、旧弊なくせに進歩的なふりをする、その欺瞞《ぎまん》が嫌でたまらない、云々《うんぬん》。

たしかに竹治郎さんには旧式なところがある。万人に平等を謳《うた》う、現代の学校教育というシステムを信頼しきれないことも、嫌がる桐之輔に無理矢理剣道を習わせたことも、その表れだろう。男は男らしく、女は女らしくあれ、と彼が考えていることに疑いの余地はない。しかし同時に、私は彼が、職業婦人に対して十分な理解を持っていることも知っていた。現に、私と桐之輔がいま差し向いで坐《すわ》っている場所――竹治郎さんが興《おこ》し、私が働いているこの貿易会社――にも女子事務員はいるのだし、彼女は敬意をもって扱われている。給料の面だけではない。たとえば私ももう二人の男性社員も、来客時以外は彼女に軽々しくお茶をいれさせたりしてはならないと言い渡されているし、マスコットのように、何々ちゃんなどと呼ぶことも禁じられている。

だからこそ、私は彼女――というのは女子事務員ではなく菊ちゃんのことだが――に、家出などという性急な行動はとらないようにと話したのだし、ましてや私がついていくことなど問題外だと言いもしたのだ。

信頼してほしい、と私は言った。きみがそんなに働きたいのであれば、そうできるように私から竹治郎さんに話してみるから、と。すると菊ちゃんは弾《はじ》かれたように立ち止まり――私たちはならんで歩いていた。夜で、舗道の柳がしっとりと風に揺れていた――、私に向き直ると怒りに声をふるわせて、信じられない、と言ったのだった。そんなことを言うなんて信じられない、と。

「あなたもあの人とおなじね。なんにもわかってない」

フレアスカートを揺らし、細い踵《かかと》で舗道を蹴った（彼女ほど豊かなボディランゲージを身につけている女性を、私はほかに知らない）。

「私は働きたいのであって、働かせてもらいたいわけではないわ」

つかつかと歩み去る彼女を、私は慌てて追う羽目になった。腕をつかみ、ふり向かせたときも、彼女の目に見てとれたのは怒りだけだった。容赦のない、純粋な怒りだけだった。

桐之輔は車を待たせており、私は車まで彼を送った。気持ちのいい秋の夕暮れだ。往き交う人々、信号機、横断歩道、街路樹と郵便ポスト。見慣れた平和な風景が、これまでとは違うものになってしまったように感じられた。彼女の不在によって世界がすっかり様変りしたのに、そのことに誰も気づいていないかのように。

「じきに帰ってくるって、百合ちゃんは言ってる」

ドアをあけてくれた運転手には見向きもせず、桐之輔は言った。

「たぶん半年くらいで。菊ちゃんは理想主義で頭でっかちだけどばかじゃないから、現実を知ればちゃんと戻ってくるだろうって」

しかし、桐之輔がそれを信じていないことはあきらかだった。

「心配しなくていい」

窓ごしに私は言った。

「彼女は私たちの前からいなくなってしまっただけで、あいかわらずどこかにはいるんだから」

桐之輔の顔に、はじめて笑みらしきものが浮かんだ。

「まあね」

それは、でも、諦念《ていねん》の笑みとしか言い様のないものに見えた。


オフィスに戻り、椅子にどさりと腰をおろした。眼鏡をはずし、鼻梁《びりょう》を揉《も》んだ。菊ちゃんが行ってしまった。予告もせず、いきなり。壁一枚隔てた隣では、竹治郎さんが仕事をしている。愛娘《まなむすめ》の失踪《しっそう》を、彼はまだ知らないのだ。いまそれを告げに行くべきかどうか、迷ったが決心がつかなかった。桐之輔の話では、菊ちゃんは父親あてに手紙を認《したた》めたのだという。桐之輔が、今夜それを竹治郎さんの食卓に、置いておく手筈《てはず》になっているのだ。

私は深くため息をついた。眼鏡をかけ直し、机の抽出《ひきだし》をあけた。綴《と》じられた数種類の書類の下から、写真を一枚とりだす。

そこには子供が四人写っている。揃《そろ》ってちょうちん袖《そで》のワンピース姿の、西洋人形のような姉妹と、姉の膝の上に危なっかしくすわらされている赤ん坊の弟、それに私だ。十二歳だった（なぜはっきり憶《おぼ》えているかといえば、この翌年に父が他界したからだ）。最年長者であり、血縁関係のない私は、ランニングシャツに黒いずぼんという服装で、他の三人からすこしだけ離れて、含羞《はにか》んだ笑みを浮かべて直立している。もしかするとまぶしかったのかもしれない。甚平《じんべい》姿の桐之輔も、巻き毛をショートカットにし、レディ然とした澄まし顔をつくっている百合ちゃんも、前歯の一本抜けた顔で楽しそうに笑っている菊ちゃんも、眉だけはわずかにひそめているから。場所は柳島家の庭で、背景には薔薇《ばら》の花壇が写っている。写真は全体に褪色《たいしょく》しているが、真夏の日ざしと手入れのいきとどいた芝生、それにやや開きすぎた感のある薔薇が、その日、その時刻のその場所の、風や匂い、音や気配をまだとどめていた。

撮ったのは私の父だ。愛用の舶来カメラをきちんと三脚に固定し、かがみ込んでファインダーをのぞいている姿をいまも思いだせる。

「いいかい？　撮るぞ」

そう言って片手を上げたのは、視線を集めるためだったのだろう。父のうしろには、一面につたの這《は》った壁が見えた。写真のなかの私は、背ばかり高く、いかにも頼りない感じだ。両手を、所在なげに腰のあたりにあてている。菊ちゃんとおなじフレームに収まれることが、嬉《うれ》しくもあり面映《おもは》ゆくもあった。

あのころの菊ちゃんは、大きな目と細い手足、男の子顔負けの敏捷《びんしょう》さと、この世は善いものだけでできていると信じるが故の、ふんだんな優しさを持った少女だった。現在の彼女——すくなくとも、先週私が会ったときの彼女——は、大きな目とすべらかな手足、華奢《きゃしゃ》な腰と、この世が善いもの以外の何でできているのか知りたいという、好奇心と誇りをもった二十三歳の女性だ。

私は写真を抽出にしまった。竹治郎さんに知らせる役目は菊ちゃんの手紙に引き受けてもらうことに決め、やりかけていた仕事を片づけてしまうべくタイプライターに向かった。

自由恋愛を良しとする昨今の風潮にはそぐわないかもしれないが、私と菊ちゃんは親の決めた許婚《いいなずけ》同士だ。もっとも、そのことを知る以前から、私たちは恋愛の真似事《まねごと》を始めていた。あの瑞々《みずみず》しく朗らかな少女が、ずっとそばにいたのだ。私にとって他の女性はいないも同じ、雛壇《ひなだん》の三人官女なみにつまらない、目立たないものにすぎなかった。

柳島家の姉妹と弟はとても仲がいいが、思春期を過ぎても一部屋に集って、楽器を弾いたりカードゲームに興じたり、こっそり酒をのんだり果てしないおしゃべりをしたり、その他私にはよくわからないやり方で三人の時間を過ごすのを、私はときに甘苦い嫉妬《しっと》と共に眺めた。そして、こんなふうに思って自分をなぐさめたものだった。赤ん坊のころの菊ちゃんを見たのは自分だけだ、百合ちゃんも桐之輔も知らない、生れたての柳島菊乃を。

私が生れたとき、母のそばに父はいなかった。身重の母と姉を残し、柳島竹治郎のヨーロッパ遊学に、世話役として同行していたのだ。柳島家は嘉永《かえい》から続く呉服問屋で、一九三三年当時、私の祖父が番頭を務めていた。いずれ父が番頭職を継ぐことが決まっており、子供の時分から店に入りびたっていた父は、成人するころには大抵の仕事をこなせたという。

しかし、父が番頭になることはなかった。一九三六年、妻となる白人女性を伴って帰国した竹治郎さんが、呉服屋をたたみ、独自に会社を興したからだ。その会社の、父は名目上共同経営者だった。祖父を始め一族中から総スカンを食った、家柄をわきまえぬ大出世というわけだった。とはいえ生来の気質だと見えて、父は死ぬまで補佐役に徹した。二人は親しい友人同士だったが、父は竹治郎さんをつねに変らず「ぼん」と呼んでいた。そこには親しみを込めたからかいと、一種の同志意識があったと私は思う。

肺を病んで父が他界したとき、私は十三歳だった。病床の父から菊ちゃんが僕の許婚であることを知らされたのは、この年のことだった。

ノックの音がして、私は現実に立ち返った。窓の外はすっかり夕方になっており、きょう中にまとめたいと思っていた報告書は、半分も仕上がっていない。

「豊彦くん、まだ頑張るのかい？　俺はお先に失礼するよ」

細くあいた隙間《すきま》から、にこやかな顔がのぞいた。頭に、すでに帽子がのっかっている。ちょこなんと、斜めに。

「お急ぎですか？」

閉じかけたドアに向かって尋ねてから、立ち上がった。

「実は今夜、お宅にお招きいただいていて、二、三分待っていただければ一緒にでられるんですが」

目を合せることができなかった。コート掛けに歩み寄り、背広に袖を通す。足元の屑《くず》入《い》れのなかに、桐之輔が捨てたらしいチューインガムの包み紙が見えた。沈黙が、彼の不審を如実《にょじつ》に物語っている。

「日の暮れるのが早くなりましたね。おもては寒いかもしれない」

幾つかの抽出に鍵をかけながら、私は普段どおりの口調を心掛けて言ったが、あまり上手《うま》くいかなかった。

「車、使われますか？」

竹治郎さんには、健康のために一時間近く歩いて帰るという趣味がある。毎日ではないが、かなりの頻度で夏も冬も歩く。昼間桐之輔を送迎した運転手を、退社時間には待機させているにも拘《かかわ》らずだ。

「お招きって、菊乃から？」

いぶかしげではあるが、それ以外の感情はまだ表れていない。苛立《いらだ》ちも、怒りも。

「いいえ」

仕方なく私はこたえた。そうだったらどんなによかっただろうと思いながら。

クラシックな造りの貸しビルの、三階と四階に我々のオフィスはある。階段を使って三階までおりて、受付嬢に声をかけてからエレベーターに乗った。

「絹は何も言っていなかったな」

下降する薄暗い空間のなかで、竹治郎さんが口にしたのはその一言だけだった。

結局私たちは車を使った。オフィスのある霞《かすみ》ケ関《せき》から芝《しば》のお邸《やしき》までは、乗ってしまえばあっというまだ。車窓から、満月に近い月が見えた。革張りのシートに深くもたれて、私たちはどちらも、敢《あえ》て会話しようとはしなかった。緊張のときはすでに過ぎ去っていた。車内を満たしているのはむしろ理解の沈黙であり、互いに相手に対して同情と、申し訳ないような気持ちを一度に感じていた。

坂をのぼりきると、右手に聳《そび》えるような塀が見える。途切れ目で車を止め、運転手が門をあけた。ヘッドライトに照らされた庭は、それを見慣れているはずの私の目にさえも、広すぎて薄気味悪く思える。

主人の帰宅に興奮して犬が吠えていた。ケージのなかを、おそろしい勢いで駆けまわっているのだろう。夜気をかき乱し、金属製の柵が揺れる音がしていた。

「ツス！」

車をおりた竹治郎さんが、野太い声で一喝する。犬はたちまち大人しくなった。砂利を踏み、私たちは玄関に向かう。呼び鈴を押すと、お手伝いさんに迎えられた。


「腹が減った」

着替えをすませ、食卓についた竹治郎さんはまずそう言った。テーブルに置かれた白い封筒を、中身をあらためもせずに脇にどける。食堂には他に、竹治郎さんの老いた母親と妻、二人の子供たちが顔を揃えていた。

「菊乃のこと、豊彦さんからお聞きになったかもしれませんけれど」

妻の絹さんは、いまではとても流暢《りゅうちょう》な日本語を話す。当初は反対された結婚だったかもしれないが、義父を看取《みと》り、八十になろうかという義母の面倒もよくみて、この家の実質をとり仕切っている。

「菊乃が何を考えているのかは知らないし、知りたくもない」

竹治郎さんは言い、彼専用の果実酒に口をつけた。

「だから、それが手紙に書いてあるんだ」

桐之輔は半ば腰を浮かせ、絹さんににらまれて再び腰をおろすと、

「読むくらい読んであげてよ」

と、小さな声でつけたした。

最初に箸《はし》を取ったのは百合ちゃんだった。小鉢のなかみを行儀よく口に運び、

「おいしいわ」

と、呟《つぶや》く。それを見て、もう食べてもいいのだと判断したらしく、竹治郎さんの母親も箸を取った。さっき絹さんがこの老女の衿元にハンカチをひろげてあてがったので、老女は前掛けをつけた赤ん坊のように見えた。

「いただきます」

私も言い、一礼してからワインを啜《すす》った。回ってきたサラダを取って、桐之輔に回す。

食事は粛々《しゆくしゆく》と進んだ。

「今夜は××さんのところに泊めてもらってるんじゃないかしら」

とか、

「僕はホテルだと思うけどな。初日だからたぶん豪勢に」

とか、幾つか菊ちゃんに関する憶測が口にだされたが、どれもあてになりそうもなかった。絹さんは台所と食堂を往復し、百合ちゃんに手伝わせてスープや肉料理を運んだ。そのあいまに度々にっこり微笑んで、誰にともなく、

「大丈夫ですよ」

と、言うのだった。


大正期に建てられたというこの邸は広大で、重厚かつきらびやかでもあるのだが、私にとってはなつかしい場所だ。子供のころ、祖母に連れられて毎月でかけた菩提寺《ぼだいじ》に、抱いた気持ちとそれは似ている。塵《ちり》ひとつなく掃き清められた庭と、あまりにも広く清潔な座敷、天井からぶらさがった金色の飾り、鮮やかな色合いの、ふっくらした座布団、黒光りする廊下。それらはたしかに非日常的な空間であり、瞠目《どうもく》すべき建築物でもあったわけだが、同時にとても親しい、日常的な場所でもあった。坊主が年寄り連中に読経だの説教だのしているあいだ、私は一人で庭で石けりをして遊んだし、窓があいていれば読経の声——深みのある、やわらかないい声だったことは認めなければならない——が聞こえた。墓所を歩きまわって墓碑を読んだり、線香の煙の流れ方で風向きを知ったりした。動物を象《かたど》った石灯籠《いしどうろう》は、友達とはいわないまでも、そこで飼われているペット程度には愛着のある存在だった。自分の家とはかけ離れた世界だが、自分の家のように

よく知っている場所。私にとっての柳島邸は、まさにそれだ。

竹治郎さんのそばにつねに控えていること、を第一義としていた父のお陰で、私は先代の御逝去も子供たちの誕生も、この家のなかで知った。桐之輔が生れるまで娘しかいなかった柳島の家で、私は実の息子のようにかわいがってもらった。父の死後も、桐之輔の誕生後も、それは変らない。

ここにはいろいろな思い出がある。居間でトランプをしていて、当時七歳くらいだった百合ちゃんの様子がおかしいことに、最初に気づいたのは私だったし（彼女は水疱瘡《みずぼうそう》にかかっていた）、死んだ愛犬に添い寝すると言い張って、庭のケージから出ようとしなかった菊ちゃんを、説得して家に入れたのも私だった。毎週土曜日にはここに来て桐之輔を剣道の稽古《けいこ》に連れて行ったし、ちっとも上達しない――というか、そもそもやりたがっていない――桐之輔に、庭で素振りやきりかえしの稽古をつけたのも私だ。

桐之輔はいつも泣きべそをかいた。すり足の練習は足の裏が痛いと泣き、道場に響く大声にがまんがならないと訴え、先輩の道着が臭いと言い、何よりも「ぶったりぶたれたり」したくないと言って泣いた。彼にとって、週に一度、五年も続いた道場通いは拷問だったのだと思う。滅茶苦茶に弱かったが、それが問題なのではなかった。桐之輔はまず声がだせなかったし、おなじ年頃の子供たちのランニングにもついていけなかった。怒鳴られることに耐えられなかったし、すぐに泣くので他の子供たちに馬鹿にされた。

頭に大きなりぼんを結び、姉たちと遊んでいる方が、桐之輔には幸せなようだった。

桐之輔は頭がよかったし、書道には秀でていた。ピアノもヴァイオリンも弾けた。それで十分ではないか。

私は竹治郎さんにそう話した。あんなにいやがっているのだから、これ以上無理強《むりじ》いするのはよくないのではないか。男の子だというだけの理由で、誰もが皆剣道をする必要はないのではないか。

私は二十二歳だった。私自身、竹治郎さんと父の意向で幼いころからおなじ道場に通った。大学進学を機にやめたが、剣道はおもしろかったし、させてもらえたことに感謝もしていた。

竹治郎さんは悲しげにため息をつき、わかった、とこたえた。きみがそう言うのなら、おそらくそうなのだろう、と。


「手紙を見せていただけませんか」

食事がすみ、客間に移って二人きりになると、私はすぐにそう言った。竹治郎さんはテーブルに封筒を放り、自分では見る気もしないとばかりに、椅子に深々と腰をおろす。革のきしむ音がした。

不覚にも、封筒にのばした私の手はふるえた。読むのがこわかった。

とても短い手紙だったが、随分ながいこと文面を見ていた。目が離せなかったのは、ブルーブラックのインクで書かれた菊ちゃんの文字――きっちりと四角ばった、端正な、でもどちらかというと大きい文字――のせいというより、言葉のすきまからこぼれてくる笑い声――私には確かに聞こえた――のせいだった。菊ちゃんは朗らかに笑っていた。

お父様
これを読むのはきっと豊彦さんね。お父様に伝えて下さい。「石頭！」って。エクスクラメーションマークもちゃんと発音して下さいね。その場面が見られなくて残念です。お二人ともお元気でね。豊彦さんはお仕事根をつめすぎませんように。いつかまた、お目にかかる日もあると思います。それまでに、もし私をご心配下さることがあったら思いだして下さい。その度に私はこうこたえるということを。アイムファイン、サンキュー、アンデュ？

菊乃

甘く乾いた匂いがして、見ると竹治郎さんが葉巻を指にはさんでいた。色の薄い唇をぽっかりと上下にあけ、煙をゆっくり吐きだしている。テーブルには、いつのまにかブランデーも置かれていた。

「内容は説明してくれなくていいよ」
竹治郎さんは言い、私を見ずに微笑んだ。床置き式の振子時計が、かちかちと時を刻んでいる。道路から遠いせいか、この家のなかはほんとうに静かだ。

私は風景画の掛けられた壁を見ていた。その壁際で、菊ちゃんとキスをしたことがあった。菊ちゃんのキスはいつも突然で、素早く、気がつくとあの愉《たの》しげな瞳に、「どうだった？」という表情でのぞきこまれているのだった。

「それで、きみはどう思う？」

竹治郎さんが言った。

「何日、何週間、もつだろうか」

最初に心に浮かんだ返答を、口にだしたくなかった。

「さあ」

それでそうこたえた。

「でも、おそらく菊ちゃんはちゃんと連絡を寄越《よこ》しますよ。絹さんや、桐之輔くんに」

「そして百合に」

竹治郎さんがつけたす。

「ええ、まあ、そうです」

菊ちゃんは、竹治郎さんには連絡を寄越さないだろう。竹治郎さんと、私には。

「残酷な娘だな」

まったくです、とこたえて、もう一度壁を見た。誰もいない壁際の空間を。

この家のあちこちで、私たちはキスをした。玄関で、図書室で、テラスで。初めてのそれは菊ちゃんがまだ少女のころだったが、それでも彼女の方から、いきなり素早く唇を合せてきた。中国の部屋と呼ばれている遊戯室で、室内は前夜大人たちがそこで麻雀《マージャン》に興じていたために、酒や料理の匂いが残っていた。動揺がおさまると、いままでにもこんなことをしたことがあるのかどうか、私は尋ねた。

「ないわ」

にっこりして、彼女は即答した。朝の日ざしが彼女のうしろから差し込んでいて、栗色の髪を輝かせていたことを憶えている。

「でも一度してみたかったの」

片方の足の裏をもう一方の足にあて、4の字に似た恰好《かっこう》で器用に立った菊ちゃんは、満足そうにそう言った。三つ折りの、白いソックスをはいていた。

「俺はね」

竹治郎さんが言う。

「女性は働くべきじゃないなどと思ってはいないんだよ」

グラスを手のひらであたためることはせず、ごく普通につかんで竹治郎さんはブランデーを啜る。

「働いてほしくないと思ってるだけだ」

自嘲《じちょう》ぎみに笑い、私を見る。

「だめなのかな、それでも」

私は返事ができなかった。


家に帰ると、母が起きて待っていてくれた。

「お酒のんできたんなら、牛乳をあたためてあげるから、それものんでおきなさい」

と、言う。

「お風呂もわいてるからね」

テレビをみていたようだ。座椅子のわきに、湯呑《ゆの》みと編み物籠《かご》が置いてある。

「酔ってはいないから、牛乳はいいよ」

私は言い、足元に身体《からだ》をこすりつけてきた猫を抱きあげる。疲れてはいなかったが、それが却《かえ》って不安だった。菊ちゃんに見捨てられたのだという現実を、まだ受け容《い》れていない証拠だったから。

「竹治郎さんのところはてんやわんやだよ」

強いて軽い口調をつくり、私は言った。

「菊ちゃんがとうとう家出敢行」

猫のあごを掻《か》いてやりながら、おもしろがっているみたいに聞こえればいいがと願った。

「あら、おもしろい」

　母は両手をぱちんと打って、台所で声をあげた。

「牛乳にはお砂糖とはちみつとどっちを入れる？」

「だから牛乳はいりませんよ」

　母は聞いていない。

「でも竹治郎さんはむくれたんじゃない？　誰かに反旗をひるがえされたことなんてない人なんだから」

　私は適当に相槌《あいづち》を打ち、漫才師の映っているテレビ画像を消した。

　牛乳には砂糖が入っていた。その甘く熱い液体が胃に届いた途端、再びあの感じに襲われた。見馴《みな》れた自宅の居間が、なにか余所余所《よそよそ》しいもの、きのうまでとは決定的に違うもののように見える、あの感じだ。菊ちゃんのいない世界。

　何週間もつだろうかと竹治郎さんは訊《き》いた。きみはどう思う、と。私の返答はこうだ。ながければ永遠に、菊ちゃんは戻ってこないだろう。

「それで、菊乃ちゃんはどこにいるの？」

　編み針を動かしながら、安心しきった様子で母は私に尋ねる。

「さあ」

こたえると、手が止まった。

「さあって、豊彦さん、あなたまさか、行き先も確かめずに送りだしたの?」

「まあ、家出だからなあ」

悠然と、私はこたえる。母は訝《いぶか》しげだ。

「でも、もちろんあなたとは連絡をとりあっているんでしょう?」

婚約者なんだから。母の目がそう語っていた。菊乃ちゃんが生れたときからの仲よしなんだから。この家の息子でありながら、あの家の息子みたいにして育ってきたんだから。

「そう願ってるよ」

私には、そうこたえるのが精一杯だった。

風呂に入り、寝室にひきあげた。出来事を表層では理解していたが、それが私自身の身に起きたことだとは思えなかった。ひどく現実離れしている。

菊ちゃんが、私に秘密裡に事を運んだ。

そのことが、私には彼女の家出そのものよりもずっと深くこたえていた。

「あなたとは結婚できない」

菊ちゃんにそう言われたのは、半月ほど前だった。私が短期の海外出張から戻った日で、彼女は空港まで迎えに来てくれた。珍しいことだった。ゲートを抜け、自分には無関係だとばかり思っている出迎えの人々のなかに、見知った顔——それも特別美しい、周囲にまるで馴染《なじ》まない、白い小さい顔——をみつけたときの驚きと喜びは、いま思いだしても心がふるえる。菊ちゃんは両手をうしろで組み、すこし離れた場所に立っていた。

「お帰りなさい」

恥かしげに笑みを浮かべた菊ちゃんは、黒いベレー帽を目深にかぶり、真赤な口紅をひいていた。濡れたように濃いまつ毛に縁取られた、あの清潔な瞳！

夕食にはまだ早い時間だったので、私たちは空港のラウンジでお茶をのんだ。ソーダ水だったかレモンスカッシュだったか、ともかくその手の炭酸飲料を、彼女は注文したのだったと思う。ガラス越しに、雲が低くたれ込めた空と滑走路、ゆるゆると走る飛行機が見えた。

「パンナムのパンって何の略かしら」

菊ちゃんがそう言ったことを憶えている。

「びっくりしたな。迎えに来てくれるなんて思わなかった」

私が言うと、菊ちゃんは困ったように視線をそらした。窓の外を見たまま、

「待てなかったの」

と、言った。

「ホテルに国際電話をかけようと思ったくらいなのよ」

彼女がそこで私をまっすぐに見たので、私は――まったく、なんてまぬけだったことだろう――にっこりと微笑んだ。国際電話とか待てなかったとか、恋人同士の睦言《むつごと》だと思い込んでいたのだ。

「でも、ちゃんと直接お伝えすべきだと思ったから」

菊ちゃんは言った。

「あなたとは結婚できない。というより、私は結婚というものを、しないような気がしているの」

私は軽く眉を上げて見せたあと、

「それならしなければいい」

と、余裕たっぷりに応じた。「私」に問題があるのではなく「結婚」に問題があるのだろうと、軽はずみにも理解したのだ。若い女性が――ことに菊ちゃんのようにインテリジェンスのある、独立心旺盛で現代的な女性が――、家をでたいとか父親の言うなりになりたくないとか、結婚はしたくないとか言いだすのは十分に理解のできることだ

(ともかく私はそう思った)。

「僕はきみを縛りつけたりはしないよ」

懐《ふところ》の深いところを見せようとして、私はにっこりと微笑みさえしたのだ。菊ちゃんはかなしそうな顔をした。数秒の沈黙のあとで、

「そうおっしゃると思ってたわ」

と呟いた彼女のやわらかな声を、私は忘れないだろう。それはやわらかな声だったのだ。怒りは一切こめられていなかった。むしろ慈《いつく》しみを感じた。

「なんでも好きなことをすればいい、ただし僕の手のひらの上で」

小さな声で、歌うように菊ちゃんは言った。

「Vous êtes formidable.《なんてすてきなんでしょう》」

彼女は微笑んでいた。ただし再び窓の外を、たぶんパンナムの飛行機を見ながら。

桐之輔から私のオフィスに電話がかかったのは、菊ちゃんがいなくなってちょうど十日後のことだった。

「菊ちゃんは元気だよ」

いきなりそう言った。

「きのう、百合ちゃんの大学に来たんだって」

私は安堵《あんど》のあまり目眩《めまい》を起こしそうだった。

「来週会うことになったんだ。僕と、百合ちゃんと三人で」

自宅からかけているのだろう、桐之輔は極端に声をひそめている。

「お父様には内緒だよ。ほんとは豊さんにも言っちゃいけないんだけど」

気の毒なくらい罪悪感に満ちた声だ。私は机の上のペーパーウェイトを見ていた。小さなガラス製のそれは、中に本物の菫《すみれ》が閉じ込められている。

「どこにいるかは言えないんだ、秘密を守るって約束しちゃったから」

桐之輔が話していた。

「でも元気そうだった。おとといは一人でビフテキを食べたんだって、一週間働いたから」

つい笑みがこぼれた。声は立てなかったが気配を察したらしく、桐之輔も小さく笑って、

「いい気なもんだよね」

と、言った。ペーパーウェイトを手のひらにのせ、重さとつめたさを感じながら私は考える（このペーパーウェイトは菊ちゃんに贈られたものだった）。一週間——。では、行きあたりばったりに家をでたわけではなく、家をでたときにはすでに働き口が決まっていたわけだ。

「どこにいるかは話さなくていいよ」

そう言うと、桐之輔はいかにもほっとしたようだった。しかし、私は桐之輔の立場

を慮《おもんぱか》ってそう言ったわけではない。菊ちゃんの居場所を、菊ちゃん以外の人間の口から、聞かされることには耐えられなかった。彼女は必ず私に連絡してくるはずだ。どうしても、そう信じる必要があった。

「知らせてくれてありがとう。無事だということだけ、竹治郎さんにも伝えておくよ」

私は言い、電話を切った。

菊ちゃんとの思い出の、一体何を語るべきだろう。平和で甘やかで、特別な意味を持っていたあの日々が、永遠に失われてしまったいまになって。

私には姉が一人いるが、すでに嫁いでいる。父が他界して以来、私は母と二人暮しだ。竹治郎さんのはからいで、母の生活は生涯保障されている。それが母の手に入れたものだ。

「お母様のことを考えたことがあるの？」

菊ちゃんは、そう言って私を責めたものだ。

「お母様は、あのお家のなかで、ずっと一人ぼっちで、あなたとお姉様を育てたのよ」

勿論《もちろん》それは正確ではない。母のそばには父がいた。母の愛用している椅子は父が自ら作ったものだし、電熱器の上にのせる枠も、母の部屋の吊《つ》り棚《だな》もそうだ。母がいまだに肌身離さずつけている首飾りは、かつて父に贈られたものだ。しかし同時に、父は柳島家のためならば、それらすべてをいつでも犠牲にしただろう。それが父の誇りだったし、それが父という人間だった。

「お母様には、もう豊彦さんしかいないのよ」

菊ちゃんはそうも言った。私は考えずにいられない。私と母という二人の存在がなかったら、菊ちゃんは家出などという大それたことをしなかったのではないか、家の名のもとに、母から私を取り上げてしまうことを恐れ、私たちの前から姿を消してしまったのではないか、と。

それは、いかにも菊ちゃんらしいことに思える。世の中には正しいことと正しくないことがあり、つねに二者択一できると信じているのだ。


木枯らしが冬の始まりを告げ、オフィス街の並木がみんな葉を落としても、菊ちゃんからは何の音沙汰《おとさた》もなかった。

その日、私は午前中を会社で過ごし、午後を倉庫で過ごす予定になっていた。倉庫は日本橋にある。ノックに続いて受付嬢が顔をだし、

「社長の御令嬢がおみえですけれど」

と告げたとき、私の脳裡に浮かんだのは菊ちゃんだけだった。

「社長ではなく新沢さんに御用だとおっしゃってるんですけど、こちらにお通しして構

いませんか？」

彼女の言葉を、私は最後まで聞かなかった。

「三階？」

尋ねたときには彼女の横をすり抜けていた。

「社長は？」

立ちどまり、念のために確認する。

「お昼休みですから、御自宅に帰っていらっしゃいます」

「そうだったね」

私はにっこりしてみせた。

エレベーターではなく階段を使った。駆けだしてしまわないように、最大限に自制心を働かさねばならなかった。菊ちゃんの家出は、まだ社内の噂《うわさ》にはなっていない。

「こんにちは」

受付デスクの前に、百合ちゃんが立っていた。一目で舶来品とわかる上質なオーバーと、四十女に似合いそうなワニ革のハンドバッグ。しかし化粧気のない肌は白く瑞々しく、髪も、学生らしいポニーテイルに結ばれている。

「ごめんなさい。がっかりさせちゃったみたいね」

私を見ると百合ちゃんは言い、すまなそうに微笑んだ。

「いや」

否定の言葉は意味を成さなかっただろう。私は肩をすくめ、敗北を認めた。

「珍しいね、会社に来るなんて」

百合ちゃんは極度の人見知りだ。私を含め、身内と認めた人間に対してはあかるく積極的な人柄を発揮できるのだが、その外側の人間が苦手なのだ。四年間の大学生活を謳《おう》歌《か》し、放課後の社交生活にも忙しかった菊ちゃんとは対照的で、大学には通っているものの、目的はあくまでも勉学であって、他人とはほとんど口をきかない生活らしい。学校には車で送迎されており、たまたま竹治郎さんが車を使っているときには、運転手の身体が空いて迎えに行くまで、辛抱づよく校内で待っているという。百合ちゃんの意見では、タクシーは不衛生なのだ。

「すてきなお召し物ですね」

受付嬢が口をはさんだ。

「もっとも、社長の御家族は皆さんほんとにお美しいから、何を着てらしても見惚《みと》れてしまうんですけどね」

「二時に倉庫に行かなくちゃならないんだ」

私は百合ちゃんに説明した。

「だからあんまりゆっくりもできないけど、ちょうど昼飯にでようと思ってたところだから、よかったら一緒にどうかな。近くにうまい蕎麦《そば》屋がある」

「お蕎麦屋さん」

百合ちゃんはつぶやき、何か重大なことを思案しているかのように真顔になった。

「いいわ」

と言って、にっこり笑う。

「お蕎麦は好きよ。それに、豊彦さんがご馳走《ちそう》して下さるんでしょう？」

その言葉の意味を、私は完璧に理解している。

「もちろん」

それでそうこたえた。百合ちゃんには、金銭を持ち歩く習慣がないのだ。

蕎麦屋は混み合っていたが、上手い具合に待たずに坐れた。店員が前の客の丼をさげ、布巾でテーブルを拭《ふ》く。百合ちゃんはわずかに身体を引き、緊張した面持《おもも》ちで見守っていた。

菊ちゃんといるときにもそうなのだが、私は周囲の人たちの視線が、百合ちゃんに集中するのをひしひしと感じる。菊ちゃんも百合ちゃんも、それを言うならば桐之輔もだが、絹さん以上に異国的な顔立ちをしている。

「菊ちゃんは元気よ」

百合ちゃんは言った。

「もう三回会ったの。これからも毎月会うことになってる」

私が何も言わず、表情も変えないのを見ると、百合ちゃんは細い眉を持ち上げてみせた。姉にそっくりな仕草だ。

「はりあいがないのね。せっかく教えに来てあげたのに」

注文した蕎麦が運ばれ、私は箸を割った。

「私ね、連絡先を教えてあげようと思って来たの」

百合ちゃんの声音《こわね》には決意が込められていた。

「豊彦さんなら、菊ちゃんを連れ戻せるでしょう？」

決意と、それに期待が。

「私も説得しようとはしたのよ。自分で働くなんていうばかなことを考えるのは止《や》めてって。そりゃあ働くのは立派なことよ。でも、働く必要のない人間が働いたりしたら、ほんとうに働く必要のある人たちの職を、奪うことになるでしょう？　それはいけないことだと思うの。いけないっていうか、失礼なことだわ」

こうなることを、菊ちゃんは予想していただろうか。菊ちゃんの連絡先――。百合ちゃんか桐之輔のどちらかが、私にそれを知らせようとすることは、当然予測できたはずだ。それならば、菊ちゃんは次の私の行動も予測している。連絡先を聞きだして迎えに行くことか、そんなものは知りたくもないとつっぱねることか――。

「ねえ」

百合ちゃんの声がした。

「どうしてお蕎麦なんか食べていられるの？　菊ちゃんがいなくなってから、もう三カ月になるのよ」

声が震え、いきなり涙ぐんでしまった。

「豊彦さんもお父様も、どうしてもっと心配しないの？」

ワニ革のバッグをかきまわし、ハンカチをとりだす。私は彼女が落着くのを待った。

泣くと、百合ちゃんは十歳のころと変っていないように見えた。桐之輔が近所の子供にいじめられて帰ると一緒になって泣き、菊ちゃんが仕返しに行くと言うのを聞くと、危ないから止めてと言って、また泣くのだった。

「心配はしているんだよ」

私が言うと、百合ちゃんはうんうんと二度うなずき、水をのんだ。

「ごめんなさい。わかってるの」

声が湿っていた。

「いや、していないかな」

私は正直に言った。

「彼女を心配するよりも、自分の淋しさで手いっぱいでね」

目を赤くしたまま、百合ちゃんは微笑んだ。

「わかるわ。私もほんとうはおんなじ」

私も微笑みを返した。

「菊ちゃんは大丈夫だよ」

彼女がどちらを予測したのか、このときはっきりとわかった。

「連絡先は聞かないことにするよ。彼女がいつか知らせてきたときに、僕が知っていたらがっかりするだろうからね」

百合ちゃんはハンカチをしまい、ぱちんと音をたててバッグの口を閉めた。

「あなたたちって、おそろしく頑固なのね」

私は笑った。菊ちゃんも、ここにいればおなじように笑ったことだろう。

「それで」

私は言った。

「それで、必要もないのに働くのは失礼だときみが言ったとき、彼女は何てこたえた？」

「何も」

百合ちゃんは言い、また水をのんだ。

「ただにっこりして、『そんなふうに考えられるあなたが大好きよ』って言っただけ」

それを聞いて、私は胸がきしんだ。「そんなふうに考えられる」百合ちゃんに、しかし彼女はなれないのだ。

「蕎麦、のびちゃったね」

私が言うと、百合ちゃんはにっこりして、

「いいの。どっちみちたべられそうもないから」

と、言うのだった。


年があけ、春になっても、菊ちゃんからは何の連絡もなかった。夏が過ぎ、秋がきて家出から一年が過ぎると、竹治郎さんに婚約は白紙に戻そうと言われた。籍が入ろうと入るまいと、会社での私の地位は変らないし、将来は私に――社長の名は桐之輔が継ぐとしても――任せたいと考えている、と。

私は婚約を白紙に戻すことには同意した。もともと、親同士の勝手に決めた婚約だったのだ。しかし、事態は何も変らないということも、私は竹治郎さんにはっきりと告げておいた。自分は菊ちゃんを待つつもりだし、すくなくとも、それを菊ちゃんが知っていてくれる自信はある、仕事には、これまでもそうだったように誠心誠意尽力する所存であるし、ゆくゆくは桐之輔と力を合せて会社を発展させていきたいと思っている、そして、もし菊ちゃんが私の元に戻らなければ、私自身は生涯独身でも全く構わないと思っている。そのようなことを、私は述べた。

竹治郎さんは同情の籠《こも》った目で私を見た。そして、ほんとうは菊ちゃんの居所も職場も、とっくに調べがついていたのだと言った。一度出向いて話をしたが、あれには帰ってくる気など毛頭ないようだった、と。

またしても、私は微笑んでいた。

竹治郎さんの、老いを感じさせる淋し気な表情には憐《あわ》れみを覚えたし、私自身が菊ちゃんに捨てられたのだという現実は、錐《きり》のように鋭く胸を突いたままだ。しかし私は微笑んでいた。それでこそ私の菊ちゃんだ、と思えたのだ。

その後も私は職場と家とを往復して暮した。ときどき絹さんに招かれて、柳島家で夕食をごちそうになる。長期も短期も含め、出張にもたびたびでかけた。絹織物中心だった竹治郎さんの商いは、すこしずつ変化している。上質のウールや染色の美しいプリント木綿、張りのある麻などの需要が高まっていた。レース編みやスワトー刺繍《ししゅう》といった民芸品の輸入にも力を入れている。加えて、数年前に日ソ通商条約が調印され、竹治郎さんの念願だったロシアからの食品の輸入が可能になった。キャビアと、ウォッカだ。

会社は順調に業績をのばした。個人経営の代理店としては、これ以上望むべくもない躍進と言えるだろう。

私にとっても、忙しさは歓迎だった。仕事の傍《かたわ》らロシア語とイタリア語の教室に通い、たどたどしいながらも意思疎通できる程度には話せるようになった。

菊ちゃんの動向は、百合ちゃんと桐之輔を通じていろいろと聞いていた。映画欄を担当するようになったとか、ボーナスでカシミアのセーターを買ったとか、原稿を受けとりに行ったのに、帰りの電車で居眠りをして、肝心の原稿を車内に忘れてきてしまったとか。彼らにとって、菊ちゃんは家をでた姉なのだ。離れて住んでいるというだけで、関係そのものに変化はない。私は彼らをうらやましく思っている。私にとっての彼女は、いなくなった元婚約者だ。

そんな私を、母はひどく心配している。

「あなたはもう自由なんだから、すてきな娘さんがいたら、映画にでもダンスホールにでも誘って、仲よくしたらいいじゃないの」

私はできるだけ陽気に微笑んでみせる。

「もちろんそうするよ。すてきな娘さんがいればね」

私はときどき思うのだが、もしもいつか菊ちゃんが私の元に戻ってきたとして――そんなことはありそうもないと、いまでは私も自覚しているが――、母は彼女を決して赦《ゆる》さないだろう。

思いだすことがある。私がまだ小学生だったり、中学生だったりしたころのことだ。当時から、父に連れられてよく柳島家に出入りしていた。そこには犬たちがいて、使用人がいた。広大な邸と広々した庭があり、ビリヤード台があり、卓球台があった。壁にはつたが這わせてあり、日なたには薔薇が、日陰には椿の小さな林があった。サンルームにはデッキチェアーが置かれ、そこで寛《くつろ》ぐのは大人だけだったので、側卓には酒壜《さかびん》が置かれていた。私は、うっかり何かを壊しやしないかと、いつもこわごわ眺めていた。こわごわ、でも、憧憬《しょうけい》の念を持って。そこには赤ん坊がいた。赤ん坊は少女になり、またべつの赤ん坊が生れた。そしてまたべつの赤ん坊が。そのたびにシャンパンがふるまわれた。三人とも美しい赤ん坊だった。私はこわごわ眺めた。一人にだけ、つねにまぶしさと気恥かしさを感じながら。

母があの家に行くことは滅多になかった。姉と二人で、自分たちの小さな家のなかにいた。私が語るあの家の様子——美しいもの、見たこともないもの、愉快な出来事、親切で風変りで、おもしろい人々の話——を、聞くのを楽しみにしていた。私が桐之輔に剣道の稽古をつけた話や、「探険」にでて迷子になった菊ちゃんと百合ちゃんを見つけた話をすると、母はとくに喜んだものだ。

「あなたがいなかったら大事《おおごと》になっていたでしょうね」

目を細め、満足そうにそう言った。

菊ちゃんには、おそらく理解できないだろう。母は母なりに、柳島家を誇りに思っているのだ。父の妻として、私の母親として。

菊ちゃんの家出から三年後に、百合ちゃんは見合い結婚した（半年で離縁し、もう二度と結婚はしないと宣言した）。

百合ちゃんが家に戻った翌年（だったか、その翌年だっただろうか）に、桐之輔は大学に入学した。

私は依然として独《ひと》り身のままだ。依然として、母と猫と暮している。竹治郎さんはしきりに見合い話を持ってきてくれるが、私は前言を翻《ひるがえ》していない。ちなみに見合い相手は竹治郎さんの遠縁の娘と、親友であり、菊ちゃんたち三人の家庭教師でもあった野村教授の姪《めい》、それにロシア人ピアノ教師だった。

# 6　一九六三年　冬

小さな容器に入ったコールドクリームはイタリア製で、蓋《ふた》に菫《すみれ》の絵がついている。こっくりと濃いクリームなので、ほんのすこしだけつけてすりこむ。頰骨のあたりの、いちばん乾きやすいところに。天花粉に似た、ほのかな香りがただよう。この家に嫁いで来て以来、夜、自分たち二人の寝室にひきとって、クリームをつけるこの短い時間が、私にとっての安息の時間だ。昼間、一時間だけピアノを弾くことを許されており、そのあいだもおなじだけ心が落着く。ピアノがお父様からの結婚祝いであり、クリームが結婚以前からの私の愛用品——お父様がイタリアに行くたびに買ってきてくれるもの——であることを考えると、たしかに私は、義母や夫の言うように、「柳島の家にしがみついている」のかもしれない。

夫となった男性は、私より八つ年が上だ。やや愚鈍なところはあるが、人の好いまじめな性質で、要求がとてもわかりやすい。彼が妻に望むことは貞節であり、節約であり、あたたかな朝食や磨かれた靴、居心地よく整えられた室内といった家事能力だ。節約には驚いたけれども、そのほかのことは想像通り、というか、私の望みと一致していた。だからこそ、この男の妻になろうと決めたのだった。

私にとっては初めての見合いだった。今年の二月、大学卒業を間近に控えた梅の季節に、私たちは引き合された。お定りの、ホテルのお茶室で。肌が切れそうに寒い、晴れた日の午後だった。あとで聞いたことだが、夫にとっては六度目の見合いだったそうだ。回数と緊張は、おそらく無関係なのだろう。というのも、私はちっとも緊張していなかったのに――いやなら断ればいいのだ。明治時代じゃあるまいし、昭和の御世たる現代では、誰も結婚を強要したりしない。それなのに、なぜ緊張する必要があるだろう――、夫は気の毒なほど緊張しているようだったから。これもあとで聞いたことだが、正坐《せいざ》が苦手なせいでもあったらしい。もぞもぞと身動きし、その度に母親に窘《たしな》められていた。

「どうしてそんなに緊張していらっしゃるの？」

二人だけで庭園を散歩する段になり、私は尋ねた。その質問に対しても、夫は滑稽《こっけい》なほどたじたじとなり、顔を赤らめたり咳払《せきばら》いをしたりして、

「それは、だって、あなたがあまり美しいから」

とこたえた。私が返事をせずにいると、もっと何か言わなくてはいけないと思ったらしく、

「ほんとうですよ。断固、お世辞ではありませんせん」

と、言った。私には理解できなかった。勿論《もちろん》、美しいと言われることは嬉《うれ》しかった。でも、それは私の質問へのこたえになっていない。

「美しいものを見ると、いつも緊張なさるんですか？」

それでそう尋ねた。あのとき私は気づくべきだったのかもしれない。その男性に、言葉が通じないということに。

「いや、それは」

彼は口ごもり、私は続きを待ったが、そんなものはたぶんハナからなかったのだ。

「困ったな」

ほんとうに困ったような顔と声音《こわね》で彼は言い、今度は私がたじろぐ番だった。

「ごめんなさい。あなたを困らせるつもりではありませんでした」

それでお終《しま》いだった。私たちはどちらも大切なことに気づきそこねたまま、ホテルのお庭のまだらな芝生や、まだ芽の固そうなネコヤナギ、紅白の梅や立派な松や、ちょろちょろと水の流れる噴水のあいだを、散策して歩いた。大学ではどんなことを学ばれているんですか、とか、官庁のお仕事は気に入ってらっしゃるんですか、とか、身上書に書かれていたことのおさらいみたいな話をしながら。

クリームをぬり終えた私は、畳をきしませないようにそろそろと歩き、枕元のスタンドをつけてから、天井のあかりを消す。眠っている夫を起こさないようにそうっと、布団をめくる。ピンクとブルーの、揃《そろ》いの布団。初めて見たときはとても恥かしかった。色が露骨に男女を分けているように思えたからだ。二カ月たったいまではもうその気恥かしさに馴《な》れたけれど——何しろ夫の両親の布団も青と赤なのだ——、羽根でないものの詰まった布団の、ずっしりした重みにはいまだに馴れない。

息をひそめ、スタンドのあかりで本の頁《ページ》を繰る。この家に来て驚いたことはいろいろあるが、いちばん驚いたのは、誰にも本を読む習慣がないということだった。これは、嗚呼《ああ》、いま考えても身震いがでる。私はそんなお家に嫁いでしまったのだ。

最初はとても信じられなかった。なぜなら応接間には立派な書棚があり、文学全集だの百科事典だの、フランス語版のラ・フォンテーヌ寓話《ぐうわ》などがならんでいるのだから。それらには、読まれた形跡は皆無だった。頁を切りひらきさえしていないのだ。なんてもったいない。私は思ったが、口にはださなかった。「もったいない」は、この家の人たちの好きな言葉だからだ。よそ者の私が口にすれば、彼らはおそらく気を悪くするだろう。

十分か十五分読んだところで夫が身じろぎをしたので、私は慌てて本を閉じ、スタンドのあかりを消して布団にもぐり込んだ。「色恋のでてくるような小説は感心しない」と義父にははっきり言われていたし、「昼間に趣味程度に読む分にはかまわないけれど、夜、御主人が帰ってからまで読むわけには、そりゃあいかないわねえ」と、義母にも釘《くぎ》をさされていた。「そういうことは、赤ちゃんにだって響くのよ」と。

思いだし、私はくつくつ笑ってしまう。何て可笑《おか》しなことを言う人たちなんだろう。赤ちゃんなんて、まだどこにもいないのに。

ああ可笑しい。

布団のなかで、私は声をたてずに笑い続ける。私には姉と弟が一人ずついて、ときどき三人で食事をするのだが、彼らに話すのが待ちきれないと思った。


「本気なの?」

結婚することにした、と告げると、姉はホールドアップされたみたいに両手を挙げ、大げさにため息をついた。

「いつかそういうことを言いだすんじゃないかって、心配していたのよ。でもまさか一度目のお見合いで、あなたがその気になるとは思わなかったわ」

相手の人柄や職業、趣味や風貌《ふうぼう》や家柄などを話すと、姉の眉間《みけん》のしわはますます深まった。

「お父様の思うつぼじゃないの」

私たちは馴《な》染《じ》みのレストランにいた。私と、姉の菊乃と、弟の桐之輔は。

「お父様の名誉のために言っておくけど、お父様はむしろ反対されたのよ。いい縁談だと思うけれども、先方が事を急ぎすぎるのが気に入らないっておっしゃって」

「だったらなぜ――」

姉の言葉は最後まで聞かず、

「私が自分で決めたのよ。善《い》い人そうだったから」

と、表明した。

「私は菊ちゃんと違って、お家《うち》のなかにいることが好きなの。外で働きたいとは思わないし、大学も大嫌いだった。現代の女だからって、みんながみんなキャリアガールを目指さなきゃならないって法はないでしょう？」

「だからって――」

テーブルには、ワインとオードヴルがでていた。じきにコールドコンソメが運ばれてくるはずだ。そこまでは、いつも決まっている。

「菊ちゃんは世間知らずなのよ」

私は言った。

「無鉄砲に家出なんかして、みんなを悲しませて」

言いすぎている、と思ったけれど、止めることはできなかった。

「安アパートで貧乏して、自活しておりますって顔をして」

興奮するといつもそうなるように、声が震え、目と鼻が熱くなった。

「そうやって悦に入るのは勝手だけれど、だからって、どうして私のお祝い事を、素直に喜んでくれないの?」

姉がいなくなってから、私たちはみんな淋《さび》しかったのだ。私も桐之輔も、お父様もお母様も、姉の婚約者だった豊さんだって——。

「ごめんなさい」

姉は言った。

「百合ちゃんの言うとおりね。もちろん喜ぶべきだし、喜ぶわ、もしそれが、ほんとうにお祝い事なら」

膝にひろげていたナプキンで目元を拭《ぬぐ》い、

「お祝い事よ」

と、私は言った。

「占部《うらべ》さんは善い人よ。絶対に浮気はしないって言ってくれたわ。私のことを望んでくれてるのよ」

姉の顔に、おもしろがるような笑みが浮かんだ。

「そうなの?」

「そうよ。決まってるじゃないの」

それならいいのだと姉は言った。ただちょっと心配になっただけなのだ、と。

「だって百合ちゃんは――」

　そこまで言って言葉を切る。

「何よ」

「――世間知らずなんだもの」

　それが効果的な一言だったことは認めなくてはならない。私は笑いだしてしまったし、菊ちゃんも笑っていた。桐之輔だけがむくれて、「さっさと」家をでてしまう私たちを「ずるい」と言った。

　姉はウェイターを呼び、シャンパンを持ってきてくれるよう頼んだ。私たちは「お祝い事」に乾杯し、私は姉と弟の二人から、

「おめでとう」

と、言われた。その後、挙式までのあいだに数えきれないほど大勢の人からおなじ言葉を贈られたけれども、私がこうこたえたのは、このとき一度きりだ。

「ありがとう。私、きっといい奥さんになるわ」

　自惚《うぬぼ》れて聞こえるかもしれないが、いまのところ、私はその言葉どおりに暮している。朝はこうして五時に起きて、底冷えのする台所で、おそろしく材料費を節約した朝食をつくる。買物と料理は私の仕事だが、五時半には義母もおりてきて、手伝ってくれる。

無論これは控え目な言い方だ。彼女は監督する。私が「箱入りのお嬢さん」で、「右も左もわからない」うえ、「あちらの文化」を受け継いでしまっているから、それは仕方のないことなのだと彼女は言う。「あちらの文化」というのは、母がロシア人だという意味だ。義母は、ほんとうによくそれを口にする。公正を期すためにつけ加えれば、でもそれは意地悪で言うわけではない。彼女は彼女なりに、私を大目に見るための、方便が必要なのだろう。母親がロシア人なのだから、娘がすこしくらい変なことをしても仕方がない、というわけだ。私は義母を、健気《けなげ》だと思う。

義母が義母のお友達にそれを訴えるとき、「あちらの文化」は唐突に「フランス人形」になったりする。

「うちのお嫁さん、フランス人形みたいでしょ?」

と。そう言われたお友達はみんな——というのは義母には友人が多く、私はしばしば彼女たちに引き合されるからなのだが——、

「ほんとうにねえ」

と曖昧《あいまい》に微笑《ほほえ》んで、私をしげしげ観察する。

「血筋としてはマトリョーシカなんです」

正確を期すためと、軽いユーモアおよび一応の謙遜《けんそん》として、一度そう言ってみたのだが、彼女たちはぎょっとしただけのようだった。

夜明け。私は背中で義母の視線を受けとめながら、茹《ゆ》でた菠薐草《ほうれんそう》をしぼり、鰹節《かつおぶし》を削る。

「これ、お願いします」

と言って、菠薐草の根ばかり盛った皿を差しだして、義母の判断を待つ。ゆうべのうちに、竹串で砂をとり除いておいた菠薐草の根は、味噌汁の具にするのだ。義母は一つずつ指でつまんで検分し、十分きれいとは言えない、と彼女の思う二つをよけた。

六時には夫と義父を起こし、夫の身仕度を手伝う。朝食は床の間のある居間兼食堂で、四人揃っていただく。おもしろいのは、義父が目を閉じて食べることだ。むっつりと、不機嫌そうに。

「お義父《とう》さま？」

不安になり、最初は声をかけずにいられなかった。何か気に障ることがあるのかと思ったのだ。義父が目をあけて私を見たので、

「きょうは御機嫌いかがですか？」

と、尋ねた。あのときの、義父の怯《おび》えたような表情――。まるで、私が聞くに耐えない言葉を口走ったとでもいうようだった。気まずい沈黙ができた。

「ごめんなさい。私、何か変なことを言いました？」

誰もこたえてくれなかったので、その言葉は宙ぶらりんのまま、いつまでもそこに浮

いているようだった。私は動揺し、さらなる失敗を重ねた。助けを求めて夫の膝に触れてしまったのだ。それを見た義母が、息を呑《の》んだのがわかった。

それで私は学んだのだった。夫婦二人きりでいるときは別だが、それ以外のとき、この家で私が直接話しかけていいのは義母だけであり、頼りにしていいのも義母だけだということを。

義父と夫はそれぞれ違う会社に勤めているのだが、毎朝おなじ時間にでて行く。二人でならんで鎌倉駅まで歩き、そこから横須賀《よこすか》線に乗るのだ。男性二人が出掛けてしまうと、義母と二人の時間が、春の海のように、のたりのたりとひねもす横たわっている。

私たちはまず台所仕事をする。それから義母の社交上の手紙を書く。たくさんあるので、手分けして書くのだ。十時には、お手伝いの若月さんが出勤して来る。若月さんの仕事は掃除と洗濯、御用ききや電話への応対で、夕方四時には帰っていく。

私と義母は一緒に簡単なお昼を摂《と》り、午後どこにも出掛けない日には――社交家の母は、私にはとても信じられない頻度の高さで、ほうぼうへ出掛ける。茶話会だの歌舞伎だの、バザーだの髪結《かみゆい》さんだの。そのすべてに私を伴うことをやめてさえくれるなら、私は何でもするだろう――、食後に繕《つくろ》いものをする。この家の男性たちが、靴下をどのくらい見事に駄目にするものか、いっそ感心してしまうほどだ。繕っても繕っても、靴下は薄氷のように透けてほつれる。

それから私は買物に行く。夫のお給料はすべて義母に手渡されるので、私はその都度義母からお金をもらっていく。これは、でもべつに苦にはならない。私にとってお金は、必要なとき必要な分だけあればいいものだ。

買ってきた品物を義母が調べるときにはとても緊張する。私が買うと、大根が義母の期待ほど太くなかったり、しじみが小さすぎたり、豚小間肉の値段が先週より高かったりするからだ。でも、その日の支出を帳面につけ終えれば、一時間ピアノを弾かせてもらえる。

ピアノは私のエネルギーだ。これまで、そんなふうに思ったことはなかった。いつもそばにあったし、いつでも弾くことができた。ただたのしく弾いているだけだった。でもいまは——。どう言えばいいだろう。いまは、もっと切実にピアノを弾いている。切実に、一心に。弾いているあいだ、私は私の人格を信頼することができる。挙式の日以来がらりと変ってしまった私の生活に、ピアノだけが秩序をもたらしてくれる。

「おお、うるさい。百合さんは見かけによらず、腕力があるのね」

義母はしばしば言うけれども。

ボーリャとイーガリが吠えていた。ケージのなかを落着きなく往ったり来たりして、柵に前脚をかけたりもしたのだろう。扉にはまった重たい錠が、がちゃがちゃ鳴るのも聞こえた。ボーリャが吠えるのはいつものことだけれど、イーガリまで吠えていたのだ。あの晴れた朝——。

桐之輔は胸に思いきりフリルのついたブラウスを着ていた。濃いスミレ色のベルベットのスーツ。燕尾服《えんびふく》姿のお父様も留袖《とめそで》姿のお母様も、庭と家のなかを忙《せわ》しげに出たり入ったりしていた。隣家のシズエさんと息子さんもいた。野村さんと奥さまも。野村さんは燕尾服の胸ポケットに、チーフのかわりに白い花をさしていた。使用人たちも皆庭にでてきた。呼ばれた自動車は全部で四台。いつものように、豊彦さんがあれこれ差配していた。

打掛姿の私はただそこに立って見ていた。映画のスクリーンでも見るみたいに、正装した人々が右往左往するのを。

シャンパンがふるまわれ、記念の写真が撮られた。誰もがはなむけの言葉をかけてくれた。いつも真冬に実をつける夏みかんの木に、気の早い実が二つだけついていたことも憶《おぼ》えている。足りないのは菊ちゃんだけだった。菊ちゃんは、挙式に列席できないと言った。遠くで、でも心からお祝いしているから、と。たぶんアパートにいるのだろう。あの晴れた朝、私はそう思ってすこし腹が立った。家出から三年が経《た》ち、親友ができたと菊ちゃんは言っていた。その親友は男性で、おなじ職場の人で、お互いに相手を「同志」みたいに感じているのだそうだ。それは結構。私は思う。結構だけれど、妹の結婚式にも駆けつけてくれないなんて、とても信じられない――。

「正面を見て。ファインダーを」

ななめうしろから、豊彦さんの囁《ささや》くのが聞こえた。

「頭が重いんだもの」

そして、そのあいだじゅう犬が吠えていた。興奮屋のボーリャだけでなく、普段大人しいイーガリまで吠え続けていた。異変を察知したみたいに、見えない誰かに抗議するみたいに。

思いだすのはそういうことだ。神前での厳かな挙式ではなく、料亭での贅《ぜい》を凝《こ》らした酒宴でもない。夫となった人の含羞《はにか》んだ笑顔でもないし、義母となった人の、その夜の言葉――励ましと訓戒、自分をほんとうの母親と思ってほしい、云々《うんぬん》――でもない。嫁いだ日について私が思いだすのはあの朝の庭と日ざし、子供のころから知っていた人たちの、顔、顔、顔。

いまにも雨の降りそうな日だ。濡れるのは嫌だけれど、足を速めたくもなかった。私はゆっくりと歩く。常緑樹の緑が重たげに湿っている。電器屋の前を過ぎて、和装小物屋と乾物屋のあいだの路地に入る。シャッターの下りた、スナックの前を通る。空き地、三輪車のだしっぱなしになった家。右に折れて、私は再び大通りにでた。紫色の合成素材でできた買物籠《かご》には、鱈《たら》の切身と豆腐、白ねぎと南瓜《かぼちゃ》、黒木綿糸一巻、それに義父が薬を服《の》むときに使うオブラートが一箱入っている。

日々の買物のあとで、私はすこしずつ違う道を選んで帰る。たったこれだけの物を買うのに時間がかかりすぎる、と義母に叱《しか》られないように、慎重にすこしだけ遠回りするのだ。街なかというのはどこにせよ不衛生なものだし――いつだったか肉屋の店先で、四、五人の子供たちが立ったまま、手づかみでコロッケを食べているのを見たときには驚いた。紙の包みに、ぞっとするような油汚《あぶらじ》みがしみでていた――、私は散歩が趣味だったりもしない。それでも、一日のうちで、一人きりになれる時間は貴重だった。

嫁いでくる前は、鎌倉というのは海辺の街だとばかり思っていた。避暑地、保養地。でも、あの家の周囲はむしろ山の景色だ。夏になれば、きっと虫がたくさんでるのだろう。

うまい具合に、濡れずに帰れた。くぐり戸をあけて屋内《なか》に入る。若月さんが掃き清めた玄関。

「よかった。降りそうだから心配したのよ」

待ち構えていた義母は言い、先に立って台所に行く。廊下には、トイレ掃除用の洗剤の匂いが立ち込めていた。

「お買物はちゃんとできた？」

義母に訊《き》かれ、私は「はい」とこたえて、買物籠をテーブルに置く。そして思う。たぶん私は、三歳の子供なみに役立たずなのだろう、と。

「薬屋さんに電話したのよ」

籠の中身を一つずつ検分しながら義母は言った。

「最後に寄るのがあすこだろうと思ったから」

いたずらをして、それが見つかった子供のそれのように、私の心臓は早鐘を打った。薬屋をでた時間と私の帰宅時間の齟齬《そご》について、問い質《ただ》されたらどう説明すればいいのだろう。

「すすめられたオブラートを買わなかったんですって？」

義母は言った。私は胸中深く安堵《あんど》して、

「メモに書かれていた銘柄と違っていたので」

と、こたえた。義母はため息をつく。

「オブラートなんてどれだって大して変らないでしょうよ。せっかくすすめてくれたんだし、そっちの方が二十円も安かったって言うじゃないの。融通がきかないのねえ」

「すみません」

謝ったあと、気になって尋ねてみた。

「でもお義母《かあ》様、どうして薬屋さんにお電話なさったんですか？」

私は恐かったのだ。義母に動向を見張られているみたいで。一瞬、義母は不思議そうな顔をした。それから、ふいに思いだしたみたいに、ああ、と言った。

「ああ、傘をね、雨が降りそうだったから、傘を貸してやってって言おうと思ったのよ」

居間に移動して、たったいま買ってきたものの値段を家計簿につけながら、私は自分をとてもいやな女だと思った。


この家に来て驚いたことはいろいろあるのだけれど、夜、電気代を節約するために、床に就くぎりぎりの時間まで四人がおなじ部屋にいる、というのもその一つだ。夕食を終えたあとの居間で、義父と夫はテレビを見ている。義母はくけ台を持ちだして、何か縫いながらテレビを聞いている。洗い物と翌朝の準備を終えてしまうと、私もそこに加わらなくてはならない。お風呂をわかした日には、一人ずつ順番にお湯を使う。お風呂をわかす日とわかさない日があるということにも驚いたけれど、菊ちゃんもアパートにお風呂がないと言っていたから、世のなかではたぶん、それが普通なのだろう。

苦痛なのは、その部屋にいるあいだじゅう、誰も口をひらかないことだ。女同士だとあれほど饒舌《じょうぜつ》な義母も、この家の男性たちの前ではとても寡黙だ。

私の家にはテレビがなかったので――お父様はその機械を軽蔑している――、テレビはすこしおもしろい。ただ、私には感想を口にだしてしまう癖があるので、それをせずにいるために、ひどく緊張してしまう。一体なぜこの家の人たちが、私が何か言うときょっとするのかわからない。私は汚い言葉など使わないいし、感想といったってごく表面的なこと——「まあ恥かしい」とか、「いかにもお役所的ですね」とか、「どういうつもりであんな恰好《かっこう》をしているのかしら」とか——で、会話のタブーとなるような、相手の思想や宗教に触れるものでは決してないのに。

でも、ともかく私は口をつぐんでいる。私の言葉が、義父や義母だけでなく夫をも、うろたえさせる結果になるからだ。妻として、私は彼を困らせることだけはしたくないと思っている。

刺繍《ししゅう》やパッチワーク、編み物なんかが好きで幸いした。夕食後の数時間、私はせっせと手を動かし、自分の手元ばかり見て過ごすことができる。バザーに不用品を出品したり、そこで別の誰かの不用品を買って、社会に貢献することは義母の趣味の一つだ。私は次回のバザーに、「いかにもあちらの文化が感じられる」手作りのキルトを、出品するよう言われている。

寝室にひきとってから眠るまでのあいだが、私と夫の二人だけの時間だ。とはいっても、官能的なことは今夜は起こらない。月のものと月のもののあいだ、最も妊娠しやすい頃合いを見計って、毎月二回だけ、それは起こるのだ。このこともまた、私に自分がどんなに無知だったかを思い知らせた。考えてみれば、その種のことに関する私の知識は、みんな小説や映画から得たものだった。絵空事から。男性が、もう我慢できないとでもいうような、せつなげな表情で女性を抱きしめたり、あらん限りの情熱を込めてキスしたり、ということが、現実にもあるのだとばかり思っていた。これまで誰も教えてくれなかったのだ。挙式を控えたある夜に母にこっそり相談したときも、母はただにっこり微笑んで、こう言っただけだった。

「大丈夫よ。すべて占部さんにお任せすればいいの。ニチヴォー《心配ないわ》」

実際に起きたのはこういうことだ。私は月のものが来たら義母に告げるよう言われ、交わりを持つのによいと思われる日が、母から夫に告げられる。その日は、いつもより早く寝室にひきとらせてもらえる。夫は私の肌に触れ、唇も合せる。夫の手つきもキスのし方も、おずおずとしてやさしい。でも、そこには情熱もせつなさも存在しない。あるのは手順と几帳面《きちょうめん》さだけだ。

私自身も、その行為に特別な喜びは感じられない。それが起きているあいだじゅう恥かしくて気詰まりなので、夫が何か言ってくれればいいのにと思う。何か、彼の感情にまつわることを。できれば愛情が、さもなければせめて友情が感じられることを。でも夫は黙々と手順を追う。丁寧に、一本気に。彼が発する言葉は一つだけだ。最後に、「いい？　いくよ」と、彼は言う。私は目をつぶり、ただじっとして、その一言を待っている。

一つだけいいことがあるとすれば、行為のあった日は、浴衣《ゆかた》の帯をといたまま眠れるということだ。この家に来た最初の夜に、私はネグリジェと下着をすべて義母に取りあげられていた。

「お嬢様用だわね」

義母は眉をひそめてそう言った。

「これからは、もっと奥様らしくしなくちゃね」

たしかにそうだと私も思った。繊細なレースやカットワークの、お菓子みたいに甘やかな下着やネグリジェは、貞淑な妻にたぶんふさわしくない。それで浴衣で寝ることに同意したのだけれど、帯の結び目がどうしてもじゃまで、ぐっすり眠れないのだ。帯をしめずに寝《やす》んでもいいかと尋ねたときには、ほとんど怯えたような顔をして、「だめだよ、そんな、みっともない」とこたえた夫も、交わりのあとだけは黙認してくれている。

十二月。バザーは盛況だった。場所は横浜で、会場となったホールには、同時開催の活《い》け花《ばな》展の出品作品が、強いくせにどこか淋しげな色彩と形状でならんでいた。

義母の出品したクラッチバッグも私のキルトも、初日に売れた。私は、義母が私の作ったキルトをお友達に自慢するのを聞いて、嬉しく思った。それは本を見て作ったものであり、私は日本の外にでたことがないので、「お国柄」とか「あちらの人特有の色彩感覚」とかいう義母の言葉は、まるで的はずれだったにしても。

私たちは和《なご》やかに会場を見物した。私と義母と、義母の「バザーのお友達」二人と。それから元町《もとまち》を散歩して、海辺のホテルでお茶をのんだ。前日に、私は義母と義母の髪結さんのすすめで髪を切り、パーマをあてていた。それで首筋が寒く頼りなかったけれど、ショウウインドウに映る自分の姿は、いかにも奥さま風に見えた。

私たちは紅茶をのみ、バザーの成功を、よかったと言いあった。誰それさんが東奔西走してくれたお陰だとか、誰それさんには連絡がつきにくくて困ったとか、私の知らない人の話題がしばらく続いた。私は大人しく口をつぐんで、ピンク色のテーブルクロスを見ていた。

「百合さん、ケーキをいただいたら？」

義母の声がした。

「この人、やせっぽちで」

今度はお友達に言い、困ったようにため息をつく。最近、義母はしょっちゅうそう言うのだ。もうすこし太りなさいとか、もっとたくさんお上がりなさいとか。

「これじゃあ家《うち》が満足に食べさせてないみたいじゃないの。ねぇ」

最後の「ねぇ」はあきらかにお友達に向けられた言葉だったけれども、私は義母の名誉のためにも否定する必要があると思った。

「いいえ、お義母さま」

それでそう言った。

「ちゃんと食べさせていただいています」

と。義母はぎょっとしたようだった。義母だけではなく、二人のお友達も。私は恥入って、膝に視線をおとした。やはり、口をひらくべきではなかったのだ。

たしかに私は生来食が細い。嫁いで以来、ますますそれが顕著になった。スカートが緩くなったので、体重もすこし減ったのだと思う。けれどもそれは、食べ物を十分に与えられていないせいではないし、義母がときどき皮肉を込めて言うように、「お口に合わない」からでもない（第一、献立を決めるのは義母だが、料理しているのは私なのだ）。たぶん、緊張しているせいなのだろう。食事のあいだじゅう、私は自分が何か不適切なことを言ったりしたりしないかと、ひどくびくびくしている。ワインがすこしあれば、もうすこし箸《はし》も進むのだけれど、とも思う。そういえば、そのことも私が驚いたことの一つだ。結婚前の会食では、義父も夫もお酒をのんでいた。でもあの家のなかでは、誰もお酒をのまないのだ。ワインもビールも、日本酒もウォッカもない食卓！　会話のない食卓！　そういうものを、私は生れて初めて見た。

それでも義母には感謝している。そのことを示したくて、私はシュークリームを注文し、全部残さずに食べた。

その義母に対して、でも私は声を荒げてしまった。バザーから、ほんの数日後のことだ。夕方で、私はピアノを弾かせてもらっていた。楽譜を持ってこなかったチャイコフスキーのコンチェルトを、記憶だけでどこまで弾けるか試しているところだった。

義母がやってきたとき、私はてっきり弱音ペダルを踏まれるのかと思った（彼女はしばしばそうするのだ）。でも、そうではなかった。

「お母様からお手紙よ」

義母は言い、封筒を鍵盤の上に置いた。

「まあ、すみません。ありがとうございます」

それは、紛れもなく母の筆跡だった。子供のようにたどたどしい、線の震えた小さな文字。私たちの母は十分にこなれた日本語を話すが、読み書きは苦手なのだ。

手にとると、封がすでに切られていた。

「どうして……」

茫然《ぼうぜん》とするあまり、言葉が続かなかった。私には、自分が目にしたもの――すぱりと鋏《はさみ》を入れられた、封筒の切り口――が信じられなかった。頭に血がのぼり、声が震えた。

義母にはまるで悪びれた様子はなく、どうしたの、読まないの、とでも問いかけるような表情で、私を見下ろしている。

興奮すると、言葉より先に涙がでてきてしまうのは、子供のころから変らない私の性癖だ。

「どうして封が開いてるんですか？　一体どうしてこんな……」

それでも、何とか言葉を絞りだした。どうしようもなく悲しかったのだ。他人の目に晒《さら》されるなんて、不得意な日本語の文字で、おそらく時間をかけて一字ずつ丁寧に、手紙を書いてくれた母が可哀相《かわいそう》な気がした。

「当然ですよ」

平然として、むしろ敵意さえ感じられる声で、義母は言った。

「あちらが何を言ってきたのか、こちらには知る必要があるのよ」

私は言ったが、嗚咽《おえつ》のせいでくぐもった声になった。くぐもった、弱々しい――。

「言語道断だわ」

「めそめそするのは止《や》めてちょうだい。たかだか手紙くらいのことで」

この瞬間、あらん限りの憎悪をこめて、私は義母をにらみつけた。そして夫婦の寝室に逃げ込んで、声が嗄《か》れるまで泣いた。

その夜私は、夕食後の団欒《だんらん》――あれが団欒と呼べるとすれば――をボイコットした。泣き腫《は》らした顔で、それでも食事の仕度はしたし、無言で気詰まりな食卓――でも、これはいつものことだ――を四人で囲んだ。主婦として、義務だと思ったからそうしたまでだ。食器を洗い、翌朝の準備を終えた私は、頭痛がするからと言って部屋にひきとった。夕方さんざん泣いたので、もう涙はでなかった。怒りは消え、悲しみが残った。熱のあるときのように、ぼんやりして自分の感情がよくわからず、怠《だる》いのに、体が軽く感じられた。

「百合ちゃんはすぐ恐慌をきたしちゃうのね」

昔から、家族にそう言われてきた。動揺しやすいとか、泣き虫とか。弟に、「おこりんぼう」だと言われたこともある。「癇癪持ち《かんしやくも》」だと言われたことも。たぶんそのとおりなのだろう。

母からの手紙には、勿論見られて困るようなことは何も書かれていなかった。百合ちゃん、元気ですか、に始まり、お体お大切に、で終る短い手紙。裏庭の椿が例年より早く咲いていること、菊ちゃんに続いて私もいなくなり、家のなかが静かであること――。もうじきお正月だけれど、嫁いで日が浅いのだから、今回はまだ里帰りしないようにとも書かれていた。そちらの皆さんと、仲よくお祝いするように、と。

襖《ふすま》があいたとき、私は夫が様子を見に来てくれたのだと思ったけれど、立っていたのは義母だった。

「具合はどう?」

やや硬い、それでも怒ってはいない声で訊かれた。私はすでに反省していたのだけれど、何だか恥かしくて返事ができなかった。畳に直接ぺたりと坐《すわ》り、膝に、母の手紙をひろげていた。ため息が聞こえた。ついで、

「いつまでむくれているつもりなの？」

という義母の声が。私はうつむいて、薄っぺらい便箋《びんせん》を見ていた。そこに書かれた、母の文字を。するとまた涙がこみ上げてきた。

「一体何が気に入らないの？」

手紙を開封するというのは、世の中では、たぶん普通に行われていることなのだろう。

「すみませんでした」

義母の顔は見ずに謝った。癇癪をおこしたのは私だし、それは、たしかにほめられた振舞いではない。義母はしばらく戸口に立っていたが、

「もうお寝みなさい」

と、静かに言って襖をしめた。

遅い時間になって寝室にやって来た夫は無言だった。どうしたの、でもなければ、大丈夫か、でもなく、いいかげんにしろ、でもなければ、勘弁してくれ、でもない。何一つ尋ねてはくれなかった。夕方帰宅したときも、深夜も。

布団のなかで、私は息をつめて待った。夫が何も言わずに着替えて横になったので、

「おやすみなさい」

と、言ってみた。かすれ声になった。

「ああ、うん」

とだけ、夫はこたえた。何かべつのことを考えているみたいだった。

夫が、何があったか知りたいと思わないらしいことが不思議だった。私の口から聞きたいと、思ってくれないことが不思議だった。ほとんど、信じられなかった。


あくる日から、私はそれまでよりも従順になった。あんなふうに泣いても惨《みじ》めになるだけだからだ。感情に蓋をすることを、覚えたのかもしれない。食事中は、家族の顔ではなく手元を見るようになった。そうすれば、うっかり話しかけてしまう心配がない。ピアノを弾くことはやめなかったが、買物の帰りに無意味な遠まわりをすることも、家族の目を盗んで本を読むこともやめた。勤めから帰った夫の着替えを手伝うときに、会話を期待することも。

代りにハミングを覚えた。声にはださず、胸の内だけでハミングするのだ。たとえばベートーヴェンの「春」を、「街の歌」を、あるいはシューベルトの弦楽五重奏を。この方法は万能だった。外界を遮断できるので、余計なことを言ったり考えたりする心配がない。美しい音楽が響いているので、にこやかでいられる。

これは夫との交わりの際にも有効だった。彼が無口でも行為が執拗《しつよう》でも、逆にあまりにあっけなくても、私はちっとも気にならない。一度など、ハミングに夢中になっていて、終ったことに気づかなかった。

「百合」

夫に何度か名を呼ばれ、ようやく気がつくありさまだった。

「はい」

返事をし、ゆっくり身を起こした。私は微笑んだと思う。頭の中にはまだ音楽の余韻があった。あかるい、テンポの速いヴァイオリン、チェロとフルート、ニ長調だった。

「風邪をひくよ」

夫に言われ、浴衣の前をかき合せたのだった。

お正月は静かなものだった。元日は家族四人でお祝いをした。お雑煮は義母がつくり、お重に詰めるものは私も手伝ってつくった。年賀状の返事を書き、縫いものをして、テレビをみた。お元日くらい神経を休めたい、という義母の注文で一日ピアノを弾かなかったことを除けば、普段と変りのない一日だった。

夜になって、柳島の家から新年の挨拶《あいさつ》の電話がかかった。父や母や弟ばかりか、遊びに来ていたらしい豊さんまでが代る〲電話口にでて、どうしているのかと訊いた。その度に私は元気だとこたえた。元気で、こうして鎌倉で、無事お正月を迎えているとこたえた。受話器を受けとった義母が、百合ちゃんはよくやってくれていますと言い、近々守《まもる》と二人で御挨拶に伺わせますから、と言うのを聞いたとき、私が感じたのは恐怖だった。どうしてだかわからない。でも、瞬間的に想像し、身が竦《すく》んだ。彼らには会いたくない。

電話を切ったあとで、私は義母に、正直にそう伝えた。秋にお嫁に来たばかりなのだし、こうしていつでも電話で話せるのだから、と。義母は口をへの字にして、

「そんなことを言ったってねえ」

と、言った。

「御挨拶は大事よ。特にあなたは一人娘さんなんだから」

私は内心ため息をついた。まただ。一人娘ではないです、姉がいますから。そう言ったところで無駄なことはわかっていた。「勘当されたお嬢さま」である菊ちゃんは、義母にとって、いないものなのだ。親戚となった家にそんな娘がいたことを、義母は「恥」だと思っている。

「でも、まあ確かにね、お里帰りには早すぎますよ、正直なところね」

義母が言い、私は安堵して、にっこり微笑んでみせた。

二日には、義父のお兄さんの家に揃ってでかけた。逗子《ずし》にある立派なお邸《やしき》で、人が大勢集っていた。私は、それこそフランス人形のように、大人しく坐っていた。訊かれた

ことにだけこたえ、すすめられたものだけを食べた。宴席の隅に、夫の従兄《いとこ》の子供がいた。都《みやこ》ちゃんという名の女の子で、私たちの結婚式にも来てくれていた。

「こんにちは」

声をかけたのは、彼女が私とおなじくらい大人しく坐っていたからだ。困ったように、一人ぼっちで。

都ちゃんは、怪訝《けげん》そうに私を見た。それでも、見馴れない人間への興味、といった様子でこちらを窺《うかが》っていたので、

「何をのんでるの？」

と尋ねたら、

「ジュース」

というこたえが返った。即答だった。私はまず驚き、次に彼女を抱きしめたいほどの歓喜に襲われた。ひさしぶりだったのだ。言葉がこんなにあっさりと、まっすぐに通じたのは。それが、私がこの日に自分の意志で交した、唯一の会話だった。都ちゃんは短いおかっぱ頭で、赤い振袖を着ていた。

若月さんが、庭を竹箒《たけぼうき》で掃く音がしている。雪でも降りそうな、暗く低い空だ。まだお昼前だというのに。

私は台所で鍋を磨いている。きのうは食器を煮沸消毒した。そんなことしなくていいのよ、と義母は言うけれど、やらせてほしいと私が頼んだ。家のなかで働くことに関しては、我を張っても叱られないことがわかったのだ。叱られないどころか、滅多に口をきかない夫に、言葉をかけられさえする。

「食器を全部煮沸したんだって?」

とか、

「壁を拭《ふ》いたんだって?」

とか。夫は心配そうな顔でそれを尋ねる。それっぽっちの労働の、一体何が心配なのだろう。実際、茶話会だの歌舞伎だののお伴《とも》をするよりよほど楽ちんだ。

それに、くたくたになるまで働けば、夜はぐっすり眠れる。浴衣の帯も、いまではちっとも気にならない。大切なのは、何も考えないことだ。頭のなかの音楽に集中し、肉体を使って働くこと。

二月。この家の庭には沈丁花が咲いている。沈丁花の花は素朴だが、おどろくほど甘い匂いを放つ。義母に似た花だと私は思う。

今年になってから、桐之輔がたびたび電話を寄越《よこ》す。食事をする日を決めよう、と言うのだ。桐之輔によれば、菊ちゃんも何度か電話をくれたらしい。いつかけても、私は不在だと言われるのだそうだ。それを聞いても私は驚かなかった。義母ならばそう言うだろうし、若月さんにもそう指示しているのだろう。

「菊ちゃんに謝っておいて」

私は言った。

「そのうちに連絡するからって」

桐之輔は不服そうだった。

「そのうちって、いつさ」

私は不自然ではない程度に低く笑って、

「そのうちはそのうちよ」

と、こたえた。幸福な姉にふさわしいはずの声音で。

無理をしているわけではなかった。何もかもうまくいっていると、本気で信じていたのだ。鍋という鍋を磨いた、あの寒い日までは。

午後、私は紫色の買物籠をさげて、いつものように買物に行った。義母の書いたメモには、若布《わかめ》、キャベツ、トイレットペーパー、刺身（みつくろって）、という文字がならんでいた。みつくろって！　私は嬉しかった。これまでは、すべて細かく特定されていた。マグロ赤身、とか、ぶり切身（あれば）とか。菊ちゃんならばかばかしいと言うかもしれないが、私は信頼されたことが誇らしかった。

他のものを先に買って、最後に魚屋に行った。たっぷり十分は迷っただろうか。身が新鮮そうにひきしまっていて、値段も手頃だったので鯖《さば》を買うことに決めた。鯖が夫の好物であることも知っていた。

ところが、奇妙なことが起こった。どうしても声がでないのだ。鯖を。そうひとこと言えばいいだけなのに。

「何にしましょう」

顔なじみの御主人が尋ねてくれても、私はただ黙ってつっ立っていた。わけがわからない。動揺して足が震え、冷汗がでたけれど、指さすことで、何とかお刺身は買えた。

こんなことで緊張したのだろうか。そう考えて、苦笑してみようとした。顔が歪《ゆが》んだだけで、笑い声はもれない。おつりを受けとるときにいつもなら言うはずの「ありがとう」も、頑として口からでようとしない。ゴム長をはいた頑健な御主人は気にするふうもなく、

「毎度っ」

と、威勢よく言った。

何でもない。歩きながら、私は自分にそう言い聞かせた。気持ちが落着けば元に戻るはずだ。寒さは感じなかった。早く帰りたい、帰って義母の顔を見れば、きっと笑い話にできる。そう思って足を速めた。

玄関を入ると、廊下にはいつもとおなじトイレ用洗剤の匂いが漂っていた。ほっとし

でていた。
「お帰りなさい」
義母は台所にいた。お茶の仕度をしているところで、テーブルにはガラスの菓子鉢が
て力が抜ける。好きな匂いでは決してないのに。

ただいま、と、言ったつもりが、声にならなかった。口だけがだらしなくひらいた。

「頼んだもの、みんな買えた？」

義母は言い、籠の中身を一つずつ検分する。キャベツはいいけれど、若布は貧弱だと言った。これで幾らしたの、と。私は返事ができなかった。でも義母は続けて、

「ああ、おさしみは鯖にしたのね」

と、言った。

「守が喜ぶでしょう。でもあたしには鯖はどうもね、脂《あぶら》っこくて」

そしてまた、

「お幾らだった？」

と、訊く。私は茫然として、テーブルの上を見ていた。テーブルの上に義母が次々とだす食材を、義母の手を、急須と、花柄の魔法瓶と、ガラスの菓子鉢を。

「ご苦労さま」

返事のないことを不審がるふうもなく、義母は言った。

「ピアノは、家計簿をつけてからにしてね」

私にとって、どちらがよりショックだったのかわからない。声がでなくなったことか、家族の誰もそれに気づかなかったことか。

私は無言でピアノを弾いた。無言で夕食の仕度をし、無言で義父を玄関に出迎えた。ただいま、と義父が言い、お帰りなさい、と義母が言った。私は横で、黙って頭だけ下げた。夫が帰ったとき、私は頭を下げなかった。ただ黙って立っていた。

「ただいま」

夫は言い、私の顔をちらりと見たが、そのまま横をすり抜けて行った。

声がでないことを、結局私は紙に書いて夫に伝えた。ごめんなさいと書いた。じきに治ると思うけれども、それまで私が黙っていても、意図的な沈黙ではないので誤解しないでほしい、と。

「どうした？」

読み終えた夫は、当然ながら理解できずに尋ねた。

「今度は何だっていうんだ？」

私は紙を取り返し、ごめんなさいと、急いでもう一度書いた。自分でもわけがわからないの、と。知らないうちに、夫の腕をつかんでいた。強く。コートの、つるつるした

冷たい感触がした。夫は、いまやあきらかに怯えていた。気持ちの悪いものを見るように私を見て、

「何を言ってるんだ？」

と、訊いた。それから、

「母さん！」

と、怒鳴った。苛立《いらだ》ったように、母さん、と。もし声がだせたら、私は笑ったかもしれない。あるいは泣いたかもしれない。その二つは、いまやおなじことに思える。どちらにしてもぎょっとされるのだ。この家のなかでは。

夫が滑稽なほど取り乱してくれたので、私はかえって冷静でいられた。父や母にだけは、このことを知られたくないと思った。どうしても知られたくない。

台所からとびだしてきた義母に、私は紙とペンを使って、たぶん風邪だと説明した。ゆうべから喉《のど》が痛かったから、と。

義母は、しょうが汁とレモン汁の入った、熱いのみものをつくってくれた。そして、治るまで夫と寝室を別にするように言われた。私はべつに構わなかった。

突然でなくなった声は、二週間後にまた突然元に戻った。でも、その二週間にあったことは、私のなかに、また、この家における私の立場に、決定的な変化をもたらした。

寝かされ、熱を測られ、病院に連れていかれた。この家の人たちのかかりつけである中年の内科医にわかったことは、風邪ではないということだった。喉も荒れていないし、病気の徴候はなにもない。

診察——および面談——は、とても不快なものだった。症状や、それが始まった日時、わけがわからないこと、もどかしさ、などを私は紙に書いて伝えたのだけれど、医者も、そばにぴったりつき添ってくれていた義母も、ほとんど注意を払ってくれなかった。二人とも、私の言うこと——書くこと、だけれど——を信じていないのだ。「ほう」とか「なるほど」とか、私が何か書くたびに医者は相槌《あいづち》を打つのだが、それはいかにもおざなりで、第一彼は、質問も説明も、終始義母だけに向かってしていた。まるで、部屋のなかに人間は二人しかいない、とでもいうように。

「精神的なものでしょう」

医者は事もなげにそう言った。血色のいい顔に笑みを浮かべて、「こういう症例は、子供にときどき見られるんですよ」

と。義母は恥入っているようだった。医者に何度も頭を下げて、「こんなことでお煩《わずらわ》せして」、申し訳ないと詫《わ》びた。私が仮病を使っていて、それを医者に言いあてられたみたいに。そして、風呂敷に包んだカステラを、医者に無理矢理押しつけるのだった。

「百合さんは頑固ね」

帰り道、電車に揺られながら義母は言った。窓から夕焼けが見えていた。銀色の握り棒を握って立ち、私は何も言えなかった。嘘《うそ》をついているわけではありません。きのうまでの私なら、むきになってそう主張したはずだ。ハンドバッグには、すぐ取りだせるようにポケットに、メモもボールペンも入っている。このときの私には、でも、何かを主張する気力は残っていなかった。主張しても無駄なような気がした。

その夜から、夫は私と目を合せなくなった。義父はもともと私と目を合せないので、私の視線を一瞬でも受けとめてくれるのは義母だけになった。その義母さえ以前よりずっと余所余所《よそよそ》しくて、合せてくれた視線もあっというまに逸《そ》らすのだけれど。

「まだ口をきいてくれないの?」

そんなふうに言われると、どうしていいかわからなくなった。私はただ弱々しく首をふり、沈黙が意図的なものではないことを示すよりなかった。懇願に近い気持ちで。

私は買物を免除されるようになった。家のなかで用事をする分には何の問題もないと紙に書いてみたが、体調が整うまでは寝ていなさいと言われた。それで、私は一日のほとんどを、床について過ごしている。浴衣姿で。夫婦の寝室に一人で横になっていると、そこが突然見慣れない場所に思えた。四角く大きな電気の笠《かさ》や、木目の浮いた天井、ふいにきしむ畳や、私のために調《ととの》えられていた三面鏡、そして、この家じゅうにしみついているように思えるトイレ用洗剤の匂い。夜よりも昼間の方が心細かった。

生れ育った家のことがときたま心に浮かんだが、それは何か遠いもの、自分がすでに失ってしまったもの、としてのそれだった。あの家のベランダから見た夕方の空や、桐之輔の弾くヴァイオリンの音、裏庭で、ドッグボーイにボールを投げてもらっているボーリャとイーガリ。

ぼんやりと思いだしはしても、恋しいというのではなかった。それどころか、彼らに会うことなど考えるだに恐ろしかった。

淋しいのは夫が顔を見せてくれないことで、実際、寝室を別にして以来一度も、彼はこの部屋の襖をあけていない。何か必要なものがあれば、義母が頼まれて取りに来るのだ。私の方から廊下に、あるいは夫の使っている客間に、会いに行った。筆談をしようとしても、苛立つらしく不快な顔をされるので、メモは持たず、ただふらふらと会いに行った。出会ったころの、真面目《まじめ》で快活な男性に会いたかった。含羞《はにか》んだような笑顔で、私と結婚できて嬉しいと言い、壊れものに触るみたいにおずおずと、大事そうに私に触れてくれたあの男性に。

夫は私の顔ではなく胸のあたりをちらりと見て、

「なに？」

と、訊く。訊くけれどそれは質問のようではなくて、だから私が返事をしなくても構わず、

「寝てなきゃだめなんだろう？」

と、続く。一度など、いかにも忌々《いまいま》しげに、

「もういいよ」

と言われた。何がもういいのかわからずに立っていると、ワイシャツにずぼん下をはいただけの恰好で——というのは着替えの最中だったからなのだが——こぶしを握りしめ、

「そんなに帰りたければ帰るがいいじゃないか」

と、言った。それは私の知っている男性ではなかった。すっかり変ってしまっていた。同時に私は気づいた。すっかり変ってしまったのは、私の方なのかもしれないことに。

声が戻ったのは突然だった。朝で、私は義母の運んでくれた朝食を摂っていた。一人で。晴れていて、障子越しにでも日ざしがあかるく、静かだった。ほうじ茶に茶柱が立っていて、それを見たときに小さな声が聞こえた。

「あ」

と、その声は言ったのだったが、それが自分の口から転がりでたものだと気づくのに、しばらく時間がかかった。気づいても、確かめることが恐ろしく、次の言葉をなかなか口にだせなかった。

「茶柱」

と、言ってみた。最初の声よりさらに小さく、ほとんど息だけみたいに聞こえたが、声には違いなかった。こわごわ、幾つかの言葉を発音する。「朝」「障子」「すずめ」そして、すこし長い言葉も試さなくてはと考えて、「ライスには塩を」。

「ああ」

ため息が、いちばん大きな声になった。私は安堵し、布団の上に大の字に倒れて、

「ああ、ああ、ああ」

と何度も言った。ああ、ああ、ああ。

その日一日じゅう、私は声が戻ってきたことを誰にも言えなかった。もしもまたでなくなったら今度こそ釈明のしようがない、と思うと恐かったし、一体どんなふうに——喜び勇んで？　涙ながらに？　どちらもとてもできそうにない——告げればいいのかわからなかった。いっそ紙に書いて伝えてしまいたいくらいだった。

それでも言わないわけにはいかない。そう思って勇を鼓《こ》し、ようやく義母に告げたのは翌朝だった。

「お義母さま」

朝食のお盆をさげに行き、台所でそう声をかけた。義母の背中がびくりとしたが、ふり向いたとき、義母の顔に浮かんでいたのは驚きではなかった。強い、警戒心のような

もの。

「ごちそうさまでした」

私は言い、お盆をテーブルに置いた。それから改めて義母の顔を見て、ゆっくり、つとめて平静な口調で、

「ご迷惑をおかけしました。声、でるようになりました」

と、告げてお辞儀をした。声は平板で小さかったが、かすれたり嗄れたりはしなかった。ただ、ひさしぶりに喋《しゃべ》ったせいで緊張し、手足がこわばって息苦しかった。

「そう」

義母の声はつめたかった。目には依然として警戒の色がたたえられている。そして、すぐに視線を逸らすと、

「口をきく気になったの」

と、言った。違います。胸の内で叫んだことを、私は口にだせなかった。でもそれは、声がでないからではなかった。

「いいえ」

一瞬遅れて、そうこたえたのだから。

義母はため息をついた。私の使った食器を流しに移し始める。洗い桶《おけ》のなかに、かたんことんちゃぽんと音をたてて次々に沈める。

「私がします」

と言ってみたが、義母は蛇口をひねり、水をだした。

「お義母さま、私に洗わせて下さい」

返事はなく、私の言葉は宙に浮いた。日ざしが水に反射している。蛇口につけられたピンク色のカヴァー。

そして私は、この家のなかで、私の言葉は行き場がないのだと気づく。


私が声をとり戻したこと――義母の言葉で言うなら口をきく気になったこと――は、夫と義父に、それぞれの帰宅を待って玄関で伝えられた（夫の職場に電話をかけて伝えたい、と昼間私は言ってみたのだが、そこまですることはないでしょう、と、やんわりと却下された）。

まず義母が、

「百合さん、きょう口をきいたのよ」

と言い、それを待ってから、私はおずおずと「おかえりなさい」と口にだした。「ご心配おかけして申し訳ありませんでした。声、朝ごはんのときにふいにでたんです」

義父と夫の反応は、似たようなものだった。義父は無言でうなずき、夫は「へえ」と言ってうなずいた。違いはそれだけだ。驚きも安堵もなく、私の顔を見もしなかった。

義父はともかく、夫のその態度にはやはり打ちのめされた。夫だけは、それでも喜んでくれると思っていたのだ。

たった二週間で、何もかも変ってしまった気がした。義母は私を「病弱」だと言うようになり、茶話会にも歌舞伎にも一人ででかけるようになった。夕方の買物は、私が嫁いでくる前にそうだったように、若月さんの仕事になった。夫は依然として別の部屋で寝ている。「様子を見る」あいだ、別々の方がいいのだそうだ。

そして、これらはすべて自分が悪いのだということを私は知っている。ほんとうに三歳の子供なみの、迷惑な嫁ではないか。この家のやり方に馴染まず、いきなり口をきかなくなった（と彼らは思っている）のだから。私は誰にも合せる顔がないと感じる。この家の人たちは勿論、実家の両親にも。

暦は三月に入っていた。雛《ひな》の節句の月だ。子供のころ、一年に一度だけ会える人形たちの顔から薄いおおいを取り除けながら、いつか私もお雛様のように、お内裏様の元に嫁ぐのだと思っていた。二人で静かに、桐の箱のなかで暮すのだと。

春。私はいまや、ほとんど口をきかない。外出もしない。もともと外出は嫌いだったのだ。不衛生な路地、道につばを吐く人がいたり、手づかみでコロッケを食べる子供たちがいたり。暗黙のルールがあるらしい義母の友人たちとのお喋りも嫌いだった。フランス人形と呼ばれることも、無理にすすめられるケーキも。伝線したストッキングを、見えない場所だからといって糊《のり》でとめてはかされることも。

私は一日じゅう家にいて、喜ばれる（であろう）ことだけをしている。料理、掃除——掃除は、でもすこし難しい。しすぎると、若月さんの仕事を奪うことになるからだ——、繕いもの、刺繡。そして、そのあいだじゅう胸の内でハミングをしている。


これが私の結婚生活の物語だ。六カ月間の。そのあと何が起こったかといえば、家に連れ戻された。一九六四年三月二十二日だった。私は抵抗した。ここにいたいのだと懇願した。父は腹を立てていた。義母と夫は——日曜日だったが、義父はゴルフに出掛けていて留守だった——、私が病弱なので里帰りをすすめているところだったと言った。本人が嫌がっていたのだが、お里で体力を回復させた方がいい、と。

発端は、その二日前に遡《さかのぼ》る。

何度電話をかけても取りついでもらえない——当然だ。私は声がだせなかったのだから——ことを不審がって、桐之輔がいきなり訪ねてきた。曇った、肌寒い午後だった。義母はめんくらったが桐之輔を居間に通し、お茶をだして、私はお花の稽古に行っているのだと説明した。帰りに夫と待ち合せて夕食をしてくるので遅くなると思う、と言い、弟に会いそびれたと知ったらきっとがっかりするだろう、とも言ったらしい。

私はといえば、何も知らずに自室でレースを編んでいた。オレンジ色の糸で、花びん敷きを。編みながらメンデルスゾーンのシンフォニーをハミングしていた。重なり合うヴァイオリン、遠くで響くティンパニー。ドラマティックに昇っていくメロディは、心のなかを音の粒でいっぱいにしてくれる。障子はあけてあったが、窓の外は見ていなかった。ただ、空が暗く、雲が重くたれこめていて、雨が降りそうだ、と思ったことは憶えている。

そろそろ夕食の下ごしらえをしようと思って階下におりた。あと一分遅くおりていれば、あんなふうに鉢合せをしなくてすんだはずだ。玄関を入ってすぐのところに階段はある。短い廊下をまっすぐ進んだ右手が居間で、奥が台所だ。台所の入口には、義母が去年バザーで買った、涼しげな青のガラスの暖簾《のれん》がかかっている。居間の戸があいたのは、私がその暖簾をくぐろうとしているときだった。

桐之輔の表情は、まさにムンクの「叫び」だった。驚きではなく恐怖のそれだ。誰も、何も言えなかった。私は頭のなかのメンデルスゾーンにしがみつこうとした。こんな現実はとても認められない。

桐之輔の目に映ったであろう私自身の姿を、私は容易に想像することができる。六カ月前とは別人のようだったはずだ。「奥様らしい」パーマをあてた短い髪、野暮《やぼ》ったい服、体重も十キロ近く減ってしまっていた。生気のない目と、唇のあいだからもれるメンデルスゾーン。

最初に口をひらいたのは義母だった。

「百合さん。まあ、帰ってたの？」

わけがわからなかったが、私はうなずいた。

「はい。いま」

「ちょうどよかった。弟さんがみえてね、あなたはお花のお稽古だって話してたところなのよ」

私の目に映る桐之輔は異物だった。幻を見ている気がした。こんなところにいるべきでない人間。ほんのすこし見ないあいだにまた背がのびて、ごつごつした大人の男に近づいていた。りぼんのついたブラウスにタータンチェックのずぼんという、世間から見ればおそらく奇妙な服を着ているが、それがこの子には似合うのだ。

「いまお茶をのんだところだから、今度はコーヒーをいれましょうね」

義母が言うのが聞こえ、私は足先から恐怖が湧きあがるのを感じた。

「いやです」

咄嗟《とっさ》にそう言っていた。桐之輔に帰るように告げ、逃げるように二階に上がった。

「百合さん」

義母のかん高い声は聞こえたが、よほどショックだったのだろう、桐之輔は何も言えずにいた。

どのくらいたっただろう。階段をきしませて、桐之輔がゆっくり上がってくるのがわかった。

「百合ちゃん」

襖を不器用にこぶしでノックして言った。

「百合ちゃん、あけて」

弟の声を聞いた途端に、だらしのないことに私は震えだした。

「駄目。帰って。そしてきょうのことは誰にも言わないで」

体ばかりか声も震える。弟はしつこかった。

「無理だよ。あけてくれたら帰るから、あけて」

私は頑としてあけなかった。帰ってと言い続けた。姿を見られたくなかった。

「わかった。帰るよ」

弟がついにそう言ったとき、私は心からほっとして、

「ありがとう」

とこたえた。そして、あとから思うと滑稽なのだが、鍵がかかっているわけでもないのに、許可なく襖をあけることをしない、礼儀をわきまえた弟を誇りに思った。

「かわいそうなアレクセイエフ」

襖の向う側から弟が言った。私の返事は彼に届かなかったかもしれない。

「みじめなニジンスキー」

泣きだしたために、それは正真正銘みじめな、嗚咽にしかならなかった。

# 7　一九七三年　夏

てんじょうからつるしたモビールがゆれている。モビールは、かざりのところがぜんぶガラスでできているので、ひがあたってとてもきれい。あけたまどから、ひはたくさんはいってくるけれど、かぜはぜんぜんはいってこない。おにわじゅうでセミがないている。いつもベッドのよこにおいてあるまるいいすをはこび、それにのってまどからかおをだすと、むうっとしたあついくうきがかおにあたった。すものみがいっぱいじめんにおちてかわいていて、あまい、こげたようなにおいがする。いぬのケージはみえるけれど、ボーリャのすがたはここからはみえない。ボーリャはもうおじいさんで、びょうきだから、ケージのすみのくらいところにうずくまっているのだ。ときどき、いぬのくさいにおいが、ここまでただよってくることがある。でもきょうはこない。いえのなかもおにわも、とてもしずかだ。それで、セミのこえだけがする。きりおじちゃまが、でかけてしまったからだろう。おじちゃまがいれば、こういういいおてんきのにちようびには、たいていおにわかテラスから、ラジオやレコードのおんがくがきこえる。

ちょうしょくは、おさとうのはいったおかゆだった。わたしはしおコブのはいったおかゆのほうがすきなのだけれど、おかあさまはそのことをすぐわすれてしまうのだ。おかゆを、わたしはのこさずにたべた。ちゃんと、ひとりで。おかあさまもゆりおばちゃまも、こういちにたべさせるのにていっぱいなのだ。おとうとのこういちは、ものをたべるのをいやがる。からだがおおきいので、こどもようのいすがきゅうくつなのかもしれない。「たべない」と、はっきりという。

じゃあたべなくてもいいわ。おかあさまはそういうけれど、ゆりおばちゃまはなっとくしない。くちにあわないのかもしれない、といって、おかゆにたまごをまぜてみたりする。こういちはもうじき3さいで、きかんぼうだけれどとてもこせいてき。きげんのいいときでも、まぶしいみたいな、あるいはなにかかんがえこむような、しかめっつらをしている。ほっぺたににくがついていて、しかめっつらがかわいい。わたしのことを「どんみ」とよぶ。まだしたがよくまわらないので、のぞみ、と、いえないのだ。

「のぞみ？」

ノックのおとがして、わたしはせなかをねじってへんじをした。いすにのったままだったから。ドアがあき、おかあさまがはいってくる。

「なにをみてるの？」

おかあさまのてのひらが、わたしのあたまのうしろにふれた。なでるというより、ささえようとでもするみたいにそっと。

「べつになにも」

わたしはこたえる。まどわくにうでをつき、うでにほっぺたをつけたしせいで。

「きのにおいをかいでたの」

わたしのいったのはまどわくのきのことだけれど、おかあさまはおにわのきのことだとおもったかもしれない。

「もうじききしべさんがみえるわ」

おかあさまがいった。

「きがえなくちゃね」

「わかった」

わたしはこたえ、いすからおりた。

きしべさんというのはわたしの「せいぶつがくてきなちちおや」で「せいめいのもと」だ。わたしにはもちろんおとうさまとおかあさまがいる。でもわたしの「せいめいのもと」はきしべさんなので、わたしときしべさんは、むかんけいではないのだ。だからときどきあいにきてくれる。

うちにくるほかのおきゃくさまたちがみんなたいていそうであるように、きしべさんもやさしい。でも、ほかのおきゃくさまたちみたいに、わたしにおみやげをもってきてくれたりはしない。ほら、おきゃくさまって、ケーキとかくだものとかもってくるものでしょう?

「いつもおみやげなしなのね」

わたしがいうと、きしべさんはこまったようなかおをして、

「そういうことはしたくないんだ」

と、こたえた。

わたしはきしべさんがふつうにすきだけれど、きしべさんはわたしがだいすきだ。どうしてわかるかというと、じぶんでそういったから。ぼくはきみがだいすきだよって。

おかあさまはわたしにしろいブラウスをきせて、グレイのスカートをはかせた。スカートはプリーツがたたんであって、かたひもが2ほんついたやつだ。こんいろのくつしたは、じぶんではいた。ちょっとまえまで、くつしたは、いすにりょうてをついて、かたあしずつもちあげて、はかせてもらっていた。

「さあ、すわって」

おかあさまはいい、わたしがすわるとぬいぐるみのウサギをひざにぽんとのせてくれる。きまりみたいに。わたしはそれをりょうてでもって、うしろからかみをとかされてもうごかずに、じっとしている。

「どんなこかな」

けが、つんつんしてかたいウサギをなでながら、わたしはいった。おかあさまはちょっとだまったあとで、

「ちはるちゃんというのよ」

と、おしえてくれる。

「わたしもあったことはないの。でもきしべさんのおじょうさんだもの、きっといいこだとおもうわ」

わたしはすこしだけきんちょうしてきた。きしべさんはいつもここにきて、わたしをどこかにつれていってくれる。プラネタリウムとか、じぶんのはたらいているしんぶんしゃとか、あんみつやさんとか。きょうはどうぶつえんにいくことになっている。ちゅうごくから、パンダがきたから。でも、きんちょうしちゃうのはパンダをみるからじゃない。いつもひとりでくるきしべさんが、きょうはむすめをつれてくるのだ。そのこはわたしより４さいとしうえで、しょうがっこうにかよっているという。しょうがっこう！　いいひびきのことばだ。すごくおもしろいばしょのかんじがする。そのこは、きょう、しょうがっこうのはなしをしてくれるだろうか。

かみはまずブラシでとかされ、つぎにくしでとかされる。くしがどこにもひっかからずにかみをすべればできあがりだ。

したくがすむと、おかあさまはわたしに、きしべさんがみえるまであそんでいていい

くことにした。
といった。それで、わたしはえほんをもって、おばあさまのへやに、よんでもらいにい

やくそくどおり、きしべさんは10じにきた。げんかんのよびりんがなったのがきこえ、おばあさまはえほんをおき、めがねをはずした。ほんやしんぶんをよむときにだけかける、あおいふちのめがねだ。

「いらしたみたいね」
おばあさまがにっこりしていい、わたしはいきなりしんぞうがはねあがったきがして、どきどきした。わたしたちはてをつないで、いちだんずつゆっくり、かいだんをおりていった。

ちはるちゃんはおくのいまにいた。きしべさんとならんで、ソファにこしかけている。わたしは、すごくおとなっぽいなとおもった。

「ごあいさつは?」
おかあさまにうながされたけれど、わたしはどきどきしてただたっていた。ごあいさつしなくてはいけないのにできないのでこまって、おばあさまのこしにくっついてしまった。

「こんにちは、のぞみちゃん」

きしべさんが、おちついたこえでいった。

「こんにちは」

こたえたけれど、おばあさまのきものにかおをおしつけたままだった。

「しつれいよ、のぞみ」

おかあさまがいった。

「こっちにいらっしゃい」

しかたなく、わたしはおばあさまからはなれた。へやには、ほかにゆりおばちゃまもいた。きしべさんおやこだけがすわっていて、あとはみんな、まわりにたっている。

「これがむすめのちはる」

きしべさんがいい、

「こんにちは」

と、ちはるちゃんがいった。おとなっぽいこえで、でもちょっとはずかしそうに。

「こんにちは」

こんどはわたしもちゃんとこたえた。ふだんよりちいさいこえになってしまったけれど。

アイスティがはこばれて、みんなでそれをのんだ。とちゅうでおとうさまもくわわって、きしべさんと、ブレジネフがなんとかかんとかしたはなしをした。おとうさまときしべさんは、あうとむずかしいはなしばかりするのだ。

わたしとちはるちゃんはおとなしくすわっていたけれど、おたがいにあいてばかりみていた。めがあうと、ちはるちゃんはにこっとする。だからわたしも、にこっとした。

「おいしい？」

おもいきってそうきいてみた。アイスティのことだ。ちはるちゃんはうなずき、

「うん」

といって、またにこっとした。まえばがいっぽん、ぬけていた。


おとうさまとおかあさま、おばあさまとゆりおばちゃまのひとりずつに、げんかんで、いってきますのほうようをした。おかあさまとおばあさまとゆりおばちゃまは、わたしのかおのよこで、キスのおとをたてる。おとうさまはそれはしない。わたしをだきしめかえしてくれながら、「たのしんでおいで」というだけだ。ほうようがぜんぶすんで、くつをはこうとふりむいたとき、さきにくつをはいてまっていたちはるちゃんが、おどろいたようにわたしをみているのにきづいた。まるで、いままでいちどもあいさつをみたことがないみたいに。

どうぶつえんには、ちかてつにのっていった。わたしたちのすむかみやちょうのえきのホームは、かべのタイルがうすいうすいピンクいろをしている。ちかてつのいろのグ

レイに、それはぴったりよくにあうと、わたしはおもう。はじめ、でんしゃはこんでいた。でも、とちゅうでざせきがひとりぶんあいたので、きしべさんがわたしをすわらせてくれた。わたしは、ちはるちゃんがきをわるくするんじゃないかとしんぱいだったけれど、ちはるちゃんをみると、ぎんいろのにぎりぼうにつかまってしっかりとたったまま、にこっとしてくれたので、あんしんしてすわることにした。

ちかてつはまどのそとがまっくらで、ごおおとがするのでおもしろい。わたしはひざにバスケットがたのこどもようハンドバッグをのせて、あしをぶらぶらさせ、めのまえにたっているきしべさんとちはるちゃんをみていた。

きしべさんのみかけについてせつめいするなら、やさしそうなおにいさんおじさん。ふくそうはへいぼんで、あさのかいきんシャツとグレイのずぼん。おとうさまよりせがひくい。かみはながめ。ぜんたいにじみ。とくちょうてきなのはめで、びっくりするくらいせいいきをおびている。おもしろがっているようなめ、といえばいいのだろうか。だまっていても、めだけでなにかをつたえることのできるひとだ。たのしいね、とか、どうかした？　とか、しんぱいないよ、とか。

ちはるちゃんはオカッパあたまで、くろいつやつやのかみのけをしている。てあしがながく、ひにやけている。さくらんぼのがらのついた、あっぱっぱみたいなワンピースをきて、はだしのままうんどうぐつをはいていた。めがあうと、にこっとしてくれる。

おねえさんっぽく、でもちょっとはずかしそうに。

どうぶつえんのあるえきにつくと、かいさつぐちをでたところから、すでにひとでいっぱいだった。おもてにでるとまぶしく、あつくてさわがしい。いろんなにおいがまざっていた。ないているこどももいれば、それをしかっているおかあさんもいる。おおどおりには、じどうしゃがたくさんはしっていた。ほどうには、たべものやさいふや、おもちゃをうるやたいがでている。

「くたびれたら、だいてあげるからね」

きしべさんがいった。

わたしたちは3にんで、てをつないであるいた。きしべさんをまんなかにして。みちはさかみちで、ほかにひとがおおぜいいるので、まえがよくみえなかった。ちはるちゃんは、ときどきはんぽまえにでて、みをのりだしてわたしをみた。ちゃんといるかどうか、たしかめるみたいに。

どうぶつえんにつくと、きしべさんはしゃしんをとってくれた。わたしとちはるちゃんはならんでいりぐちにたって、きしべさんのカメラをじっとみつめた。

わたしは、どうぶつえんにくるのは2どめだ。いちどめは、おとうさまときりおじちゃまにつれてきてもらった。そのときにみて、きれいだとおもったフラミンゴを、きょうもみるのをたのしみにしてきた。

どうぶつえんのなかは、そとにまけないくらいこんざつしていた。

「てをはなさないようにね。まいごになるといけないから」

きしべさんがいった。

トリをみて、ゾウをみた。トラをみて、ゴリラをみた。パンダのおりのまえはあまりにもこんざつしていたので、パンダはあとまわしにしておひるをたべた。おひるは、ばいてんでかったサンドイッチとコーヒーぎゅうにゅうだった。つちのうえにベンチとテーブルのならんだいっかくもやっぱりこんざつしていて、あいせきになった。おとこのことそのりょうしんが、おうちからもってきたらしいおべんとうをひらいている。

サンドイッチはパンがぱさぱさしていたけど、おなかがすいていたので、ふたつたべた。ちはるちゃんはよっつ、きしべさんはふたつたべた。

「たまごのとハムのとどっちがすき?」

たべているとちゅうで、ちはるちゃんにきかれた。

「ハムの」

こたえると、ちはるちゃんはすぐ、

「わたしはたまごのほうがすき」

と、いった。

「あかとあおはどっちがすき?」

またきかれ、

「どっちもあんまりすきじゃない」

とこたえた。ちはるちゃんはしばらくかんがえて、わたしも、と、いう。

「じゃあねえ、××××と○○○○は、どっちがすき？」

どちらもひとのなまえだったけれど、わたしのしらないひとたちだった。こたえられずにいると、ちはるちゃんはいそいで、

「そうか、まだわからないよね」

と、いった。どちらもにんきのあるかしゅのなまえなのだそうだ。

「ローリング・ストーンズみたいなの？」

わたしは、きりおじちゃまのすきなかしゅのなまえをいってみた。こんどはちはるちゃんがぽかんとし、きしべさんはわらって、

「だいぶちがうけどね」

と、いった。どっちがすき？　は、そのあともつづいた。スイカとモモと、どっちがすき？　いぬとねことどっちがすき？　ねむりひめとしらゆきひめはどっちがすき？

サンドイッチはとっくにたべおわっていたけれど、きしべさんは「いこう」といわなかった。わたしたちがはなすのを、たのしそうなめでみていた。しょくごのいっぷくをつけ、あおぞらに、けむりをたなびかせながら。

パンダのおりのまえは、いぜんとしてぎゅうぎゅうにこんでいた。それできしべさんはわたしをだきあげてくれた。

「みえるかい？」

こえがちょっとくるしそうだった。じぶんのあたまよりたかくもちあげてくれているので、うでがふるえているのもわかった。みえない、というのはわるいようなきがして、わたしはだまっていた。でもおりはからっぽのようだった。

「ガラスだよ。ガラスのむこうにいるんだ」

きしべさんのこえがきこえ、ガラスのむこうをみようとしたとたんに、じめんにおろされた。きしべさんはおおきくいきをつく。

「だめだ。かたぐるまにしよう」

それで、こんどはかたぐるまさせられた。

なにかが、たしかにそこにいた。でもガラスにぴったりくっついているらしく、よごれたけのかたまりが、ちらっとみえるだけだった。2とういるときいていたのに、けのかたまりは、ひとつしかみえない。それでもみえたことはみえたので、わたしは、

「みえた」

と、いった。

つぎに、ちはるちゃんがかたぐるまされた。

「みえるかい？」

きしべさんにたずねられ、ちはるちゃんは、

「みえない」

と、こたえる。

「あれがパンダなのかな。でもぜんぜんみえないよ」

わたしは、じぶんがうそをついたみたいで、はずかしくなった。

パンダのなまえは、カンカンとランランというのだそうだ。カンカンがおとこのこで、ランランがおんなのこ。きしべさんがおしえてくれた。

「くたびれたかい？」

ひとごみをはなれたところで、きしべさんがきいた。わたしもちはるちゃんも、ちょっとくたびれたとこたえた。あつかったし、それに、くちにはださなかったけれど、わたしはどうぶつのおりのそばが、くさいのでこまった。くさいと、どうしていいかわからなくなる。どうぶつたちはかわいいんだけど。

ひとりひとつずつ、みたいものをきめて、それをみたらひきあげようということになった。わたしはフラミンゴがみたいといった。ちはるちゃんはバクをみるといった。きしべさんはさるやまを、ぜひみようじゃないかといった。

フラミンゴはおりではなくさくにはいっている。さくのなかはひろいのに、みんないっかしょにかたまってたっていた。こかったりうすかったりするピンクいろが、きれい。かたあしでたっているところも、くなりとくびをまげるところもすてきだとおもったので、わたしはきしべさんに、しゃしんをとって、と、たのんだ。

「いいとも」

きしべさんはこたえた。

「そこにたってごらん」

「ちがうの」

わたしはいった。

「かれらのしゃしんをとってほしいの」

フラミンゴたちは、しゃしんをとられてもきにしないようだった。あついまぶしいひざしのしたで、ものうげにじっとしていた。

バクはねていた。おりのなかで。

「ふとってるね」

わたしがいうと、ちはるちゃんはバクをかばった。

「でもかわいいよ」

と、いって。

「うん。そうだね。かわいいね」

わたしもいった。バクはかおをむねにおしつけるようにしてねていて、かおはほそながくてきれいだった。

2どめのトイレに、わたしはちはるちゃんとふたりでいった。1どめはおひるごはんのまえで、きしべさんが、トイレにはいろうとするしらないおばさんをつかまえて、このこたちといっしょにはいってやってくれませんか、と、たのんだのだ。2どめはふたりきりだった。

「ひとりでだいじょうぶ?」

こしつにはいるまえに、ちはるちゃんにきかれた。わたしはこころぼそかったけれど――というのは、よそのトイレはうちのトイレとぜんぜんちがっているからだ――、だいじょうぶ、と、こたえた。

「でもまっててね」

と。こしつのなかはちょっとくらい。ひんやりしている。そしてください。ロールのかみがなくなっていたので、わたしはもってきたティッシュペーパーを、ポケットからだした。しゃがむときは、ふあんなきもちになる。おしりがまるだしになるのですうすうしてこころぼそいうえに、うしろがみえないのでだれかいるようなきがしてこわい。ちょすいタンクのぎんいろのぼうに、りょうてでつかまってしゃがむ。そうしないと、しりもちをつくかもしれないから。

よそのトイレではよくそうなるのだけれど、おしっこはなかなかでてくれなかった。ふあんなきもちだと、いくらしゃがんでもでてくれないのだ。わたしはきがせいて、そうなるとよけいおしっこがひっこむ。

リラックスなさい。

おかあさまはいつもそういう。でも、うちのそとにいるとき、わたしには、リラックスするのはとてもむずかしいことだ。

「だいじょうぶ？」

ちはるちゃんのこえがしたのと、おしっこがでたのと、ほとんどどうじだった。わたしはあんどして、ためいきをつき、

「だいじょうぶ。ありがとう」

と、こたえた。

トイレからでて、さるやまにいった。しばらくかんさつしたあとで、きしべさんが、

「どれがボスだかあててごらん」

と、いった。さるやまにはボスざるがいて、そのさるのいうことをきかないと、しかられたりぶたれたりするのだそうだ。

「あれ？」

ちはるちゃんが、てっぺんにいる、おおきめのさるをゆびさしてきいた。

「はずれ」

きしべさんはいった。

「じゃあ、あれ？」

つぎにちはるちゃんがゆびさしたさるが、あたりだった。やまのちゅうふくにじっとしている、とくにえらそうにはみえないさるだ。

「どうしてわかるの？」

わたしはたずねた。だって、ほかにもさるはたくさんいて、こざるをだいていたり、いそがしげにうごきまわったりしている。2、3びきでかたまって、そうだんごとでもあるみたいにかおをつきあわせているさるたちもいた。そのなかで、あのいっぴきがボスだときしべさんにわかるのはふしぎだった。

「みててごらん」

さるやまからめをはなさずに、きしべさんはいった。

「ほかのさるは、みんなじぶんのかんしんじにかかりっきりだけれど、あのさるはつねにむれぜんたいをみている。わかるかな。ボスでいるためには、ひろいしやがいるんだ」

しや。そのことばはわたしにはなじみのないものだったけれど、なんとなく、いみはわかるようなきがした。

「しやは、どうすればみにつけられるの？」

たずねると、きしべさんはわたしをみた。そんなことをきかれるとはおもってもみなかった、というみたいに。

「そうだなあ」

それからゆっくりくちをひらいた。

「いろんなものをみて、いろんなけいけんをして、ちゃんとじぶんでかんがえることかな。じぶんにかんけいのあるひとやもののことだけじゃなく、よそのひとや、よそのくにのことも、ちゃんとじぶんでかんがえること。もっとも、ぼくもボスのうつわではないから、あんまりえらそうにいえたぎりではないけれどね」

さいごはほとんどわらいごえだった。きしべさんはボスのうつわではない。ということは、しやがせまいということだろうか。

「おとうさまは？」

わたしはきいてみた。

「うちのおとうさまは、しやがひろいとおもう？」

きしべさんはすこしだけかんがえて、おもうよ、と、こたえた。

「のぞみちゃんのおとうさまは、とてもしやのひろいひとだとおもう」

と。わたしはほこらしくなった。

どうぶつえんをでて、わたしたちは、えきまえのフルーツパーラーまでさかをくだってあるいた。あつくて、のどがかわいていて、もうあるきたくなくて、いつもなら、おとうさまかきりおじちゃまに、おんぶをねだるところだった。でも、きしべさんにねだってはいけないようなきがした。きしべさんは、わたしのではなくちはるちゃんのおとうさまだから。

フルーツパーラーのなかは、れいぼうがきいていた。

「すずしーい」

それでそういった。

「すずしーい」

ちはるちゃんもいった。わたしたちはかおをみあわせ、たのしくなって、くすくすわらった。

ちはるちゃんはバナナパフェを、わたしはバニラアイスクリームをちゅうもんした。きしべさんはコーヒーだけでいいといった。

「しょうがっこうっておもしろい？」

わたしは、きいてみたかったことをきいた。

「おもしろいよ」

ちはるちゃんはそくとうする。

「なにするの？」

「いろいろ」

「おべんきょうするところなんでしょう？　こどもたちが、みんなで」

そのことを、わたしはおかあさまからきいていた。わたしはまだちいさいから、がっこうにはいかず、おうちでおべんきょうしている。

「まあね」

ちはるちゃんはいった。

「でも、ほかにもいろいろするよ。やすみじかんにはシーソーにのれるし、ともだちとしゃべれるし。わたしがいちばんすきなのはずこうだけど、プールにはいれるから、なつはたいいくもすき」

「ふうん」

こたえたけれど、うまくそうぞうできなかった。だいたい、こどもばかりがそんなにおおぜいあつまるというのがふしぎだった。それぞれのおうちから、ひとりだけでそこにでかけていくなんて。

ちはるちゃんからきいた、しょうがっこうのはなし。かだんがある。てつぼうやブランコ、シーソーやジャングルジムがある。じゅぎょうちゅうは、せんせいがこくばんにかいたことをノートにうつしながら、しずかにしていなくてはならない。わからないことは、てをあげてきく。そうじとうばんのひとはそうじをしなくてはならない。えんそくがある。しゅくだいをわすれると、ろうかにたたされることがある。きゅうしょく――というのはおひるごはんのことだそうだ――は、おいしいときとおいしくないときがある。あげパンはおいしい。わらばんしのテストとしろいかみのテストと、2しゅるいある。ちょうききゅうかのまえには、せいせきひょうがもらえる。

はなしながら、ちはるちゃんはバナナパフェをぜんぶきれいにたべた。わたしのアイスクリームはといえば、ぎんいろのおさらのうえで、ほとんどとけてしまっていた。そえられていたウエハースだけはたべたけれど。

おみせは2かいで、まどからえきまえのひろばがみえた。バスや、やたいや、たくさんのひとやじどうしゃが。

「いつか」

かんがえながら、ゆっくり、わたしはちはるちゃんにいった。

「たぶんもうすこしおおきくなったら、わたしもそこにいってみるかもしれないわ。まだわからないけれど」

きたときとおなじようにちかてつにのって、わたしたちはかえった。でも、えきからうちまであるくあいだ、わたしはきしべさんとではなくちはるちゃんと、てをつないでいた。きしべさんはわたしたちのうしろを、たばこをすいながらひとりであるいた。ゆうがただったけれどまだじゅうぶんにあかるく、セミもたくさんないていた。

「あさもおもったけど」

もんをはいると、ちはるちゃんがいった。

「すごくおおきいおうちだね、のぞみちゃんちって」

にわのはじっこ、おおばとかみょうがとか、やくみになるくさがうわっているあたりにおじいちゃまがいた。わたしはかけだした。

「パンダ、みたよ」

ほんとうはよくみえなかったのにそういってしまったのは、なんにちもまえから、みんなに、のぞみはこんどパンダみるの、いいねえ、と、いわれていたからだ。

「おう、のぞみ、かえったのか」

おじいちゃまはいって、わらった。ランニングシャツにステテコ、かたてにひバサミ、もういっぽうのてにはあきカンをもっている。きについたケムシをとっているところだった。

「うん。かえった」

わたしはいい、カンのなかをちらっとだけみた。ケムシがいっぱい、つみかさなってうごめいている。

「うええ」

おじいちゃまはケムシとりがしゅみで、ちっともこわがらない。きにくっついているケムシはひバサミではさむのだけれど、おちているやつは、ゴムぞうりをはいたあしでふみつぶしてしまう。とったケムシは、うらにわでもやす。わたしはそのさぎょうをみているのがすきだ。おじいちゃまをつよいとおもう。

「たのしんできたか？」

わたしはおおきくうなずく。

「さるのボスをみたよ。フラミンゴも、ゾウも」

おじいちゃまはいったけれど、どうぶつには、あまりきょうみがないみたいだった。

「それはよかった」

「もうなかにおはいり。かにさされるといけないから」

「はあい」

こたえて、わたしはげんかんにむかった。みずをまいたあとらしく、しばふはぬれて、いいにおいがした。おにわのどこかから、ラジオのおとがきこえる。きりおじちゃまが、ゆうすずみをしているしるしだ。たぶんビールをのんで、えだまめをつまんでいるのだろう。どうぶつえんはとてもたのしかったけれど、わたしはうちにかえれてうれしかった。

きしべさんとちはるちゃんは、もううちにはいっていた。おくのいまでおとうさまとおかあさまが、おだいどころでおばあちゃまが、それぞれおかえりのほうようをしてくれた。

「ただいま」

そのたびにわたしはこたえた。

「とてもたのしかったわ」

それから、わたしはちはるちゃんとふたりで2かいにあがった。ちはるちゃんが、わたしのへやをみたいといったからだ。

かいだんをのぼるとき、わたしはちゅういぶかくのぼるのでじかんがかかる。ちはるちゃんはなにもいわずにまっていてくれた。

おへやにはいると、ちはるちゃんはまわりをみまわしながら、かべにそってあるいた。ほんだなのまえでたちどまり、

「あ、グリムどうわ。わたしももってる」

と、いった。

「これ、いまものってるの？」

くびにピンクのりぼんをまいた、もくばをゆびさしてちはるちゃんはきいた。

「あんまり。ちいさいころにのってたの」

こたえたけれど、ほんとうは、いまもよくのっていた。うそをついたことで、でもきがとがめたりはしなかった。ちいさなうそだし、だれかをこまらせるわけではないから、ゆるされるだろうとおもった。

わたしたちはベッドにならんでこしかけて、てんじょうのモビールをながめた。でも、モビールはひるまほどきらきらしていない。おへやのなかはうすぐらく、かろうじてほんがよめるくらいのあかるさしかなかったから。

ちはるちゃんは、またあそびにくるといった。なんとかというかしゅのレコードを、もってきてきかせてくれるという。

「ありがとう。たのしみにしてる」

わたしはこたえた。

「うちにもいろいろレコードがあるよ。バッハとか、ツェッペリンとか」

ちはるちゃんはうなずき、じゃあこんど、レコードかんしょうかいをしよう、といった。

「わたしもあそびにいっていい?」

たずねると、ちはるちゃんはくびをかしげた。

「それはどうかな。うちにはママがいるから」

ママがいると、どうしてあそびにいかれないのかわからなかった。

「うちにもおかあさまがいるよ」

それでそういった。

「そうだけど」

ちはるちゃんはくちごもる。わたしのかおをじっとみて、

「ひみつ、まもれる？」

と、きいた。わたしは、しんぞうがぎゅっとちぢむのをかんじた。なんだかわからないけれど、こわいことがおこっているきがした。

「まもれる」

けっしんして、わたしはいった。

「うちのママはね、のぞみちゃんのかぞくのことが、あんまりすきじゃないみたいなの」

びっくりした。

「どうして？」

たずねると、ちはるちゃんは、わからないとこたえた。

「でも、きょうわたしがいっしょにどうぶつえんにいくことにも、ママはさいしょはは

んたいだったんだよ」

「どうして？」

ますますおどろいて、わたしはきいた。

「わからない。でももしかして、うちのママはむかし、のぞみちゃんのかぞくのだれかとしりあいだったんじゃないかな。それで、けんかとかしたのかもしれない」

「そうなの？」

「わからないけど」

ちはるちゃんは、すまなそうなかおでいった。おかあさんのしつれいを、かわりにもうしわけながっているみたいだった。

「でもとにかく、わたしはまたあそびにくるから」

けっしんしたようにいう。

「うん。またぜったいにきてね」

わかった、とこたえたちはるちゃんは、まえばのぬけたくちでにっこりわらった。

# 8　一九八四年　盛夏

望ちゃんは、千春ちゃんが遊びに来ているので部屋にいる。二人で雑誌を見たり、買物の計画をたてたり、ずーっと喋《しゃべ》ったりしているのだ。光ちゃんも部屋にいる。大音量でモーツァルトを聴きながら、模型を組み立てているか本を読んでいるか、昼寝をしているかのどれかだ。

僕はちっともかまわない。僕には陸ちゃんがいるから。おいで、卯月。陸ちゃんはいつもそう言う。まるで犬を呼ぶみたいに。僕がうんと小さかったころからそうだ。おいで、卯月。だめよ、卯月。いい子ね、卯月。陸ちゃんは僕に嘘《うそ》をつかない。ぜったいにだ。望ちゃんも光ちゃんも僕を弟扱いするけれど、陸ちゃんはしない。弟なんかよりずっと大事な犬を、守ったり可愛《かわい》がったり、叱《しか》ったり信頼したりするみたいに僕に接する。だから僕は陸ちゃんが好きだ。陸ちゃんがいれば僕は何もこわくないし、陸ちゃんも、僕がいれば何もこわくないのだと思う。

一度だけ、陸ちゃんとひき離されたことがある。小学校に行かされたときのことだ。

教室にはおそろしいものたちがたくさんいた。幽霊ではないけれど、妖怪とか、河童《かっぱ》とか鳥とか、そのようなものだ。勿論《もちろん》、全部人間の子供であることは知っていたけれど、奴《やつ》らは同時に妖怪であり、河童であり鳥だった。僕は犬だから、椅子には坐《すわ》らなかった。机の下にじっとしているか、外にでてうろうろするかだった。そうやって、ただ陸ちゃんを待った。

どうして小学校に行かなくてもよくなったのかはわからない。ある日お父さまの書斎に呼ばれ、無理に行く必要はない、と言われた。僕は咄嗟《とっさ》に陸ちゃんの顔を見た。陸ちゃんがうなずいたので、ほんとうなのだとわかった。隣で、普段反抗的な物言いばかりする光ちゃんが、ありがとう、と言ったことを憶《おぼ》えている。

麦わら帽子がちくちくする。さっきお母さまに無理矢理かぶせられたのだ。僕は帽子が好きじゃないけれども、かぶらないと庭にだしてもらえないので、仕方なくかぶる。帽子にはストライプのりぼんが巻かれている。そうねえ、確かに最新流行の型ってわけじゃないわねえ。すこし前に僕に会いに来たママは、僕が帽子を嫌がるのを見て、そう言って笑った。でもクラシックでとてもおしゃれよ。そうも言った。次に会ったとき——そのときは僕がママの家に泊りに行った——、大リーグの野球チームのマークのついた、青い帽子が用意されていた。それはいま、僕と光ちゃんが共同で使っている部屋の、ひきだしのなかにしまってある。ちくちくしないことは確かだけれど、窮屈で鬱陶《うっとう》しいことに変りはない。僕はたぶんかぶるものが全て苦手なのだ。夏の庭は甘い匂いがする。芝生の、薔薇《ばら》の花の、そしてすももや杏《あんず》の実の。落ちてつぶれた杏の実に、蟻《あり》やハエがたかる。ハエは不衛生だからみんな嫌う。でも、蜂や蚊のように人を刺さないし、こうして日ざしのなかで見ると、結構きれいな羽を持っていることがわかる。

いちめんに蔦《つた》の這《は》っている壁にはいろんな生き物が見つかる。クモやヤモリ、ゲジゲジ、それにどこにでもいるダンゴ虫！　運がよければクワガタも飛んでくる。

ストップウォッチ、温度計、方位磁石、虫めがね、空き壜《びん》、シャベル、軍手、手帖《てちょう》、インスタントカメラといった道具の入ったリュックサックを背負って、僕は毎日庭を散策する。平日の昼間は、桐ちゃんも百合ちゃんも、お父さまもいないのでとても静かだ。

藤棚のある場所に行くと、そこに吊《つ》るしたハンモックに、おじいちゃんが寝そべって本を読んでいた。藤の花はすっかり終り、ほぼすべて散ってしまった。散り残ったものもからからに乾いて、茶色い芯《しん》だけみたいになっている。それなのに蜂は、二匹も三匹も、熱心にそこらを飛びまわっている。花ではなく、煙草盆《たばこぼん》に置かれた甘いのみものがめあてなのかもしれない。おじいちゃんは気にしない。蜂が顔に近づけば無造作に手で払い除《の》けるけれど、視線は本に据えたままだ。

僕は足音をしのばせて後ろから近づき、ハンモックの下にもぐりこもうとした。おじいちゃんの頭はてっぺんがまるく禿《は》げている。残っている髪は短く刈り込まれ、ざらめをまぶしたみたいに白い。ランニングシャツから、ごつごつして日に灼《や》けた腕がでている。

うまくいった、と思ったけれど、同時に僕は笑いをこらえきれなくなる。ハンモックの真下で、おじいちゃんの身体《からだ》のすぐ下で。

「何だ？　どこの坊主だ？」

おじいちゃんの声は大きい。ハンモックがきしみ、おじいちゃんは両足を広げて、網ごしに僕を見た。僕は笑いながら軽く飛びあがり、網に頭をぶつけて揺らす。何度も。ときどきおじいちゃんのお尻にもぶつかる。腿《もも》にも。

「おいおい、卯月」

おじいちゃんも笑っている。もう本はそのへんに置いて、落ちないようにバランスをとっている。ハンモックのどこかが、ぎしぎしと鳴る。

「わかった、わかった。うるさい奴だな」

おじいちゃんは言い、地面におりてサンダルをはく。僕は犬なので、好きな人にはじゃれつくのだ。

「乗るか？」

僕はうなずき、昇降台を使ってよじのぼった。いつものことだけれど、僕はそこで、身体を安定させることができない。不安定だからつい力が入り、すると力を入れた場所──肘、かかと、肩──が順繰りに沈む。

「最近はどうだ。何かおもしろいこと、あったか？」

昇降台に腰掛けて、おじいちゃんが訊《き》く。

「とくにはないけど、毎日まあまあおもしろいよ」

積んであるクッションに、背中をもたせかけてみる。赤やピンクやオレンジの、光沢のある布の硬い手触り。おじいちゃんの体温をとどめて、それはまだあたたかい。

「そうか。まあまあおもしろいか」

おじいちゃんはこたえ、小さく笑う。僕の頭の上で、肉厚なびわの木の葉がちらちら揺れる。この木には、鳥の餌台が幾つもくくりつけられている。

「納屋、行くか？」

おじいちゃんが訊く。僕はすこし考えて、

「いいよ、まだ」

と、こたえた。

「そうか」

葉《は》もれ陽《び》は、目をつぶっても見える。というか、消えない。動くから、わかる。ちらちら、ちらちら。

納屋には、僕とおじいちゃんの、ちょっとした秘密がある。裏側の、雑草だらけの一角にあるのだ。僕がまだつかまり立ちくらいしかできなかったころから、おじいちゃんはその壁に僕の身長の刻み目をつけている。最初のそれは、とてもほんとうとは思えないくらい低い場所にある。

僕は、自分の身長が標準より低いことを知っている。九歳の男の子の標準より、という意味だ。僕の家族はみんな背が高い。お父さまもお母さまも、光ちゃんも望ちゃんも、桐ちゃんも百合ちゃんも。おじいちゃんとおばあちゃん、それに陸ちゃんはそうでもないけれど、僕は陸ちゃんよりさらに小さい。三カ月だけ小学校に行ったときには、発育不良だか発育不全だか、どちらかだとお母さまが言われていた。学習不適応とも言われていた。ほめ言葉じゃないことはわかるけれど、フテキオウって、王様を連想させる言葉だ。

いずれにしても、僕は気にしない。僕は犬だし、犬は身長なんて(すくなくとも自分では)測らない生き物だから。

「行くよ。またごはんのときに会おうね」

ハンモックをおりて、僕はおじいちゃんに挨拶《あいさつ》する。頭突きに似た動作で、顔と体をこすりつけながら。

「ああ、あとでな」

おじいちゃんは、煙草と薬草飴《やくそうあめ》のまざった匂いがした。

陸ちゃんが探しに来てくれたとき、僕はケージのなかにいた。かつてこの家にいた、本物の犬のためのケージだ。六畳間分くらいの広さがあり、いまはただがらんとしている。床には砂埃《すなぼこり》。不思議なのは、ケージのなかの温度が外よりも低いことだ。奥の一面だけが壁で、あとの三方は鉄柵だから、空気は外とおなじはずなのに。

出入りのための扉も、鉄柵でできている。大きくて重い錠がついたままだけれど、その錠はとっくに壊れている。

このなかにいると、一人ぼっちだという気持ちがする。そして落着く。犬らしい気持ちが強くなって、もうすこしで吠えそうになる。犬たちはここに二匹ずつ飼われていたそうだけれど、二匹いても一匹ずつが孤独な心を持っていたことが僕にはわかる。柵のなかから見る庭は、外で見る庭と全然違う。

僕は隅っこに坐って水筒のお茶をのんだ。きょう撮ったポラロイド写真三枚――日なたの蟻たち、薔薇の花芯、地面に置きっぱなしになっていた青いホース――をじっくり眺める。ケージが使われなくなってから十年も経《た》っているのに、隅っこにはまだケモノ臭がある。ここで生きて死んだ、たくさんの犬たち。手帖をだして、きょうの気温を書き込んだところで足音が聞こえた。陸ちゃんだとすぐにわかった。小さな運動靴が芝生を蹴る、軽くてかわいらしい音。そして本人が現れる。ケージの正面に立ち、鉄柵を両手で握る。陸ちゃんは人間だ。

「卯月、そこにいたの」

庭は日が照ってあかるいので、陸ちゃんの顔は陰になってよく見えない。あるいは、僕は犬だから、犬の視力ではよく見えないのかもしれない。

「おずぼん、汚れちゃうよ」

陸ちゃんは言った。顔が見えなくても、言葉の意味がわからなくても、声が聞こえて僕は嬉《うれ》しい。立ち上がって、しっぽを振ってみる。

「陸ちゃんっ」

しっぽじゃなく、声がでた。陸ちゃんは、ケージのなかには入ってこない。だから僕がでていく。手帖も写真も床に残して。

「陸ちゃん」

もう一度言い、突進する。陸ちゃんは受けとめてくれる。僕は力を加減しながら体当たりし、弾むとまた体当たりし、さらにもう一度体当たりする。

「卯月、痛いよ」

陸ちゃんは笑う。

「やめて。こら卯月、やめなさいってば」

笑いながら言い、言いながら笑う。僕はじゃれる。飛びあがって、陸ちゃんのほっぺたにほっぺたをぶつける。僕には、陸ちゃんがいままで図書室にいたことがわかる。陸ちゃんのほっぺたはつめたい。湿った紙の匂いがする。図書室の薄暗さが、匂いというより気配となって陸ちゃんにくっついている。本を読んでいるあいだ、陸ちゃんはそこにいるのにいないものになる。だから僕は本が嫌いだ。

「お母さまが、おやつよって」

僕がじゃれるのをやめると、陸ちゃんは言い、僕の頭の上の、まがってしまった麦わら帽子を直してくれる。

「わかった」

僕は言い、ケージにひき返して持ち物を拾い集める。リュックサックに入れ、背負った。

日曜日は、朝から雨だった。体育は、だからビリヤードになった。ビリヤード台は中国の部屋に置かれている。水色の壁紙の、色あせたちょうちょと唐子《からこ》たち。この部屋の天井の電気は小さなぼんぼり形で、幾つもあるそれを全部つけた上に、隅っこの小さなテーブルに置かれた電気スタンド（笠《かさ》はちょうちょの柄のステンドグラス）をつけても、雨の日はどうしても暗い。

体育はお父さまの担当だ。お父さまはビリヤードがとても上手《うま》い。望ちゃんも上手いけれど、お父さまのそれとは較《くら》べものにならない。球を突いてそれがべつの球にぶつかるときの音がもう全然ちがうのだ。コツン、と当てるだけのときもあれば、ふわり、とぶつけるときもある。そこまでは望ちゃんにもできるけれど、力強く正確な、カシャンという鋭い音は、望ちゃんにはだせない。パシャン、になってしまうのだ。それですごく悔しがる。

「何かがぶれてる」

と、言って。望ちゃんは悔しがりだ。

「何かがじゃないさ。きみのキューがぶれてるんだ」

お父さまが訂正する。

「手元が、ぶれてるんだよ」

じゃあ光一、と言われて、今度は光ちゃんがキューを持つ。窓がすこしあいているので、さわさわと空気にからまる雨の音が聞こえる。

光ちゃんのビリヤードは、望ちゃんのそれとまた全然違う。力まかせに突くので大きな音がでるけれど、方向が定まらない。音とか美しさとかは気にしないのだ。ぶれようと歪《ゆが》もうと、ポケットにボールが偶然入りさえすればいい、という考えなのだ。一つずつのショットは望ちゃんの方が上手いのだけれど、ゲームをすると光ちゃんが勝ってしまったりする。

僕は台の横に立って、キューを構える光ちゃんの顔を見ている。大人みたいに大きな体の、不器用な、不機嫌な光ちゃんの顔を。

陸ちゃんの番になり、僕は息をつめる。陸ちゃんはおそろしく下手《へた》なのに、にこにこして台に近づく。

「あれにまっすぐ当てればいいのね」

確認して、真面目《まじめ》な顔になって目当ての球をにらみつける。挑むみたいに。当たれ！僕は念じる。でもキューは最初の球をかすめて空振りに終る。背の低い陸ちゃんは、背のびをしたまま台にほとんど倒れ込んでしまう。勢い余って。そしてくすくす笑った。

「もう一度、していい？」

「左手の位置をよく考えてごらん」

お父さまが助言する。

「そう、手首をしっかり固定して」

コツン、と弱い音がして、球が球に当たる。僕はつめていた息を吐いた。

「いいぞ。上手だ。まっすぐに当たっていたよ」

お父さまにほめられて、陸ちゃんは嬉しそうだ。

「じゃあ、卯月」

みんなの視線を感じて緊張したけれど、犬らしく素直に命令に従う。突きやすい位置にセットされた球を、僕は慎重にねらって、突いた。球はふらふらと前進し、目当ての球にぶつかって止まった。

「こわがっちゃだめだ」

お父さまが言う。

「はずれてもいいから、今度は思いきり突いてごらん。突くというより、キューで押しだす感じで」

僕はうなずき、言われたとおりにする。キューは最初の球の横をこすり、大きく空を掬《すく》った。

「あちゃ」

陸ちゃんの声がして、僕は見えないしっぽを振ってこたえた。窓から弱い風が入り、雨足がいちだんと強まる。

「大丈夫よ。そのうちできるようになるから」

望ちゃんが言った。

午後は家庭教師が来たので勉強しなくてはならなかった。僕は勉強が嫌いだ。分数というよくわからないものの計算をしながら——というより計算するふりをしながら——、僕は僕の庭のことばかり考えている。長ぐつをはいて、フードつきのレインコートを着て、雨の日も僕は庭を見まわる。ぬかるみを踏み、雨水が細い川のように流れている場所をみつける。葉っぱの一枚ずつが雨に打たれてふるえるのを眺め、といを流れる水の音を聞く。散り敷いた花びらに触り、木々が水を吸い上げていることを想像する。濡れた土の匂いをかぎ、フードからしたたる水滴を顔で味わう。

数式のイコール記号の右側にデタラメな数字を書き連ねながら、そんなことばかり考えている。

文ちゃんが遊びに来てくれることになっている日、僕は興奮してすごく早く目が覚めてしまった。部屋のなかはまだ暗く、仕切り板の向うから、兄の寝息が聞こえた。もう一度眠ろうと思ったけれど寝つけず、仄白《ほのじろ》いカーテンのほうをじっと見ていた。タオルケットから足をだしていても暑い。額や背中が、じんわり汗ばんでくる。

僕たちの部屋は、兄の集めているレコードの匂いがする。レコード盤に吹きつける、埃よけのスプレーの匂いも。レコードの入れものは紙でできているのに、本や雑誌とは全然ちがう匂いだ。どうしてだろう、と、不思議に思う。僕は犬だから、匂いに敏感なのだ。この家のなかでなら、たとえ目隠しをされていても、自分がどの部屋にいるか言い当てられる。百合ちゃんの部屋は百合ちゃんの、お父さまの書斎はお父さまの、中国の部屋は中国の、匂いがするから。お客様用の居間――暖炉のある方――は、よそよそしくて日なたくさい匂いがするし、ピアノのある居間は、家族みんなの入り混じった匂いと、なつめやシナモンの匂いがする。

すこしずつ、カーテンの向うがあかるくなっていく。カラスが鳴き、むくどりやすずめが鳴く。蒸し暑さがやわらぐつめたい時間があり、それから日が差し始める。家じゅうでいちばん早起きのおばあちゃんが、たぶんもう台所にいるだろう。

僕はパジャマのずぼんに片手を入れ、パンツの上からおちんちんに手のひらをあてる。こうすると落着くのだ。おちんちんはやわらかく、ひんやりしている。

いきなりけたたましく目覚ましが鳴る。ベッドをきしませたり、タオルケットをばさばさいわせたりして、光ちゃんはようやくそれを止める。そしてうめく。

「起きたの？」

ついたてをはさんで、僕は声をかけてみる。

「……起きる」

ややあって、眠たげな声が返った。枕元をさぐって眼鏡を探しあてる音、ため息、ベッドの上に坐る音。光ちゃんは朝が苦手だ。僕はカーテンをあけ、窓もあけて着替えをする。ついたての向うに行ってみると、まだそのままベッドに腰掛けて、うなだれていた。光ちゃんは熊みたいに大きい。ランニングシャツにパジャマのずぼん、黒い硬そうな髪はぼさぼさに寝乱れている。

「起きないの？」

　おそるおそる声をかけた。光ちゃんは頭をかいて、ぐがあ、とか、むがあ、とか、ともかく吠えた。

　朝食室は気持ちのいい場所だ。ハトのステンドグラスから、日ざしがいっぱいに溢《あふ》れる。

「おはよう」

　望ちゃんも陸ちゃんも、すでにテーブルについていた。着替えてもまだまぶたがおちそうな光ちゃんとは違って、二人ともすっきりした顔をしている。大人っぽくてきれいな望ちゃんと、物静かで賢い陸ちゃん。

「きょうは文ちゃんに会えるのたのしみね」

　望ちゃんが言う。最近カウガールに憧《あこが》れていて、長い髪をみつあみにしている。暑いのに我慢して、うら革のベストも着ている。

「うん。だから夏休みって好きなんだ」

　僕はこたえた。学校に通っていない僕たちにとって、夏休みは間接的なものにすぎない。でもその期間は百合ちゃんが毎日家にいるし、今週はお父さまも桐ちゃんもいる。きょうみたいに文ちゃんが遊びに来たりもするから、やっぱり普段とはすこし違う、輝かしい日々だ。

朝食はトーストと白いんげん豆――クリーム煮にしてひやしたもの――、アイスティとバナナだった。食べ終えて歯を磨き、帽子をかぶって庭を見まわる。ものすごくいい天気だ。荒木さんが草むしりをしていた。僕は知っているのだけれど、荒木さんも犬なのだ。しかも百戦錬磨の老犬だ。この庭で、僕たちはいわばなわ張り争いをしている。通り過ぎざまに、ピュッと短く口笛を吹いてみた。威嚇《いかく》だ。荒木さんは無視している。どん！　と、足を踏みならしてみる。ようやく顔を上げた荒木さんは、僕を見てにっこりする。

「おはよう、坊ちゃん」

荒木さんは顔も手もしわだらけだ。小柄で、日に灼けていて痩《や》せっぽちだ。でも、百戦錬磨の老犬にふさわしく、眼光は鋭い。

自習の時間になったと言って、陸ちゃんが呼びに来た。僕は仕方なく庭を離れる。

午後。僕は窓から外を見ながら、文ちゃんを待っている。文ちゃんは隣家のシズエさんの孫で、僕のたった一人の友達だ。いまにもやってくるはずなのだ。シズエさんと連れ立って、あの道を通って。

「卯月ー」

そのとき陸ちゃんの呼ぶ声が聞こえた。階段をのぼりながら、僕の名を呼んでいる。

声はどんどん近づいてくる。部屋をとびだして迎えに行くと、階段の上の、小さな広間になったところで陸ちゃんに会えた。

「よかった。庭を探しちゃった」

陸ちゃんは言った。

「桐ちゃんにお話してもらおう。たぶんテラスにいるから」

テラスというのはサンルームのことだ。ガラスばりのその部屋を、僕たちはなぜだか「テラス」と呼んでいる。本物のテラスも「テラス」なんだけど。

文ちゃんを待っているところだから行かない、と、僕は言えない。

「おいで、卯月」

陸ちゃんにそう言われたら、ついていくよりないのだ。困ったなと思いながら、でも従順に、誇り高く。

桐叔父はやはりテラスにいた。ドアをあける前にわかった。音楽が聞こえたから。彼の大好きな、七〇年代のロックだ。僕と陸ちゃんは顔を見合せてにやりとする。そして、勢いよくドアをあける。

叔父は、窓辺のデッキチェアーに素裸《すっぱだか》で横になっていた。日光浴が大好きなのだ。

「また裸！」

陸ちゃんが言った。口やかましい母親か妻みたいな口ぶりで、両手を腰にあてているが、声はたのしそうな子供のそれだ。

「やあプリンセス。それに卯月も」

桐ちゃんは起き上がり、ポータブルプレイヤーの音量を下げる。

「お父さまに叱られるよ、私たちの教育によくないって」

桐ちゃんは顔をくしゃくしゃにして笑う。

「これが？　教育に悪い？　そうかなあ」

落ちていたTシャツを拾い、局部に掛ける。

「こうすればいいの？」

全身にベビーオイルを塗っているので、桐ちゃんの肌はてらてらしている。日に灼けたその肌の上を、汗も伝っていた。

「ましになった」

陸ちゃんは言う。この部屋はものすごく暑い。蒸し風呂だ。お日さまの光にあたためられて、オイルの匂いが充満している。

「私たち退屈してるの。お話をしてくれる？」

床にぺたりと坐って、陸ちゃんは言った。僕も真似《まね》をして横に坐る。桐ちゃんは、とてもたくさんのお話を持っている。それは確かだ。

「いいよ。何の話？」

北アフリカで出会った女の子の話、と、陸ちゃんが言い、バリオチノの話、と、僕は言った。バリオチノというのはスペインのバルセロナにある物騒な一角で、叔父は昔そこで、女装した黒人男性に追いかけられたことがあるのだ。ロンドンの下宿の話でもいいわ、と、陸ちゃんが言い、インドで病気になった話でもいいよ、と、僕は言った。叔父はにっこり微笑《ほほえ》む。ほとんど金髪になるまで脱色した髪に日があたって、顔が光る綿毛に縁取られているように見える。僕たちは調子に乗って、さらに言った。ニューヨークの交差点のまんなかで、自動車が故障して動かなくなった話でもいいし、オートバイで蛙を踏みつぶしていた二人組——イメットとゴブジ——の話でもいい、と。話の内容は問題じゃないのだ。僕たちは叔父の外国話を聞くのが大好きだし、すっかり知っていてもまた聞きたいのは、それが僕たちにとって、気に入りのジョークみたいなものだからだ。

「なつかしいな」

微笑んだまま、すこしだけ遠い目をして桐叔父は言い、窓の外を見る。そこは家の庭にすぎないのに、ニューヨークやロンドンや北アフリカが、あるいは誰か彼の親しかった人が、そこにいるみたいに。

結局、叔父はニューヨークの話をしてくれた。自動車の故障の話ではなく、別な話だ。変った女の人の話。その人はお医者の妻で、美人だった。メイン州に別荘を持っていて、夏じゅうそこにいた。泳ぐのが大好きで、昼は海で、夜はプールで泳いだ。ある日叔父が遊びに行くと――それは夕方だった。その街特有の金色の光が、ななめにそこらじゅうを満たしていた――、その人はプールで、ヒラメとロブスターと一緒に泳いでいた。ヒラメは底に沈んで不活発だったが、ロブスターは活発だった。桐叔父はびっくりした。普通はしばっておくロブスターのハサミが、しばられていなかったからだ。女の人は平気だった。桐叔父を見ると立ち泳ぎでにっこり笑った。その家のプールでいちばん深い、まんなかのところで。

「すてき。おもしろいわ」

陸ちゃんが、うっとりと言った。

「それに、はじめて聞く話だわ」

「お魚はどうなったの？　そのヒラメとロブスターは」

僕は尋ねた。

「もちろん夕食に食ったさ。ものすごくおいしかったよ」

僕たちはくすくす笑った。すごくおもしろい話だ。

「シャワーを浴びなきゃ。汗だくだ」

叔父は言って立ち上がり、ごく小さい音でロックを奏でていたプレイヤーのスイッチを切る。痩せた背中、もちろんふるちん。

「その女の人の名前は何ていうの？」

陸ちゃんが訊くと、叔父は「ヘザー」とこたえた。舌を歯のうしろにあてた、完璧な英語の発音で。

「ヘザー」

僕たちは口々に真似をして呟《つぶや》く。気に入りのお話が、またひとつ増えた。


文ちゃんがやってきたとき、僕と陸ちゃんは家族用の居間にいた。そこからだと、門から家に続く小道が見通せるからだ。居間では百合ちゃんがピアノを弾いていた。窓をあけ放ち、僕はただ見張っていた。陸ちゃんは横でしゃぼん玉を飛ばしていた。最初に見えたのはシズエさんだった。

「来た！」

僕は言い、すぐに玄関にまわった。扉をあけて階段をおり、走った。

「文ちゃん！」

体当たりする。何度も。オス、と文ちゃんは言い、まあ、まあ、卯月くん元気ねえ、と、シズエさんが言う。僕はどうしても顔が笑ってしまう。そのせいで、オス、とこたえるのに、しばらく時間がかかった。僕にとって文ちゃんは、離れて暮している兄弟犬だ。だからよその家族の匂いがする。

階段の下まで戻ったとき、芝生の上の空中を、しゃぼん玉が漂ってきた。見ると、窓辺で陸ちゃんが、つまらなそうにふいていた。

「これ、知ってる？」

部屋に入ると、文ちゃんは言った。仕切りの向うで光ちゃんが勉強しているので、ひそひそ声だ。

「知らない。何？」

「ゲーム」

それは小さな四角い物で、さらに小さなボタンがついており、それを押して操作する仕組になっているのだった。プピプピ、ピコピコ、へんな音がする。

「見ててみ」

文ちゃんは言った。プピプピ、ピコピコ、プピプピ、ピコピコ。

「流行《はや》ってるの？」

「うん」

プピプピ、ピコピコ。

見ていると、画面の上の方からブロックが落ちてきて、文ちゃんはそれを移動させ、壁を完成させまいとしているようだった。

「やってみなよ」

途中なのに、いきなり僕に貸してくれた。もうゲームには見向きもせず、自分で持ってきた漫画の本をひらいて、寝転がって読み始める。

「早くやんなきゃだめだよ。瞬間瞬間の判断能力が大事なんだから」

文ちゃんが言いおわらないうちに、ブワワーン、という不愉快な音がして、ゲームオーヴァーになった。

「もう一回やっていい？」

「いいよ、何度でもやって」

文ちゃんは、いつもいろいろなものを持ってきてくれる。漫画の本、野球選手の名鑑やカード、スナック菓子。

ゲームの要領は、すぐにつかめた。プピプピ、ピコピコ、プピプピ、ピコピコ。単純だ。単純だけどずるいくらい巧妙にできていて、つい熱中して息をつめてしまう。プピプピ、ピコピコ、プピプピ、ピコピコ。どんどん速くなる。スリルだ。どきどきする。あまりにも集中しすぎていて、僕は光ちゃんが部屋をでて行ったことにも気がつかなかった。

「行っちゃったな」

文ちゃんの声は聞こえたけれど、いまは返事ができない。プピプピ、ピコピコ。

「光ちゃん」

光ちゃん？　手元がくるった。

「そうなの？　いま？」

ゲームオーヴァーだ。くやしさより心配の方が先に立った。うるさすぎたのだろうか。

夕食は、いつものように七時だった。お客様だからごちそうが期待できる。でも普通のお客様と違うところは、シズエさんがおばあちゃんと一緒に台所に立つところだ。料理をするあいだも、お喋りをしていたいらしい。僕と文ちゃんとは違って、隣同士に住んでいるのだからいつだって会えるのに。

「あとで写真見せてな」

文ちゃんが僕に耳打ちした。

「そうだった！」

こたえて、びっくりした。ゲームに熱中するあまり、そんな大事なことを忘れていたなんて――。文ちゃんは僕の撮るポラロイド写真を、おもしろがって鑑賞してくれる。だから、きょうも僕はあらかじめ、見てほしい写真を選《え》り分けておいたのに。

料理は次々にでてきた。おひたしや野菜の煮物があるかと思えばハチャプーリもあった。大人たちはワインをのみ、日本酒ものんだ。鮭のコロッケとペッパーステーキが両方あって、魚が好きな人も肉が好きな人も満足できるようになっていた。サラダも二種類。

文ちゃんは子供だけれどお客様なので、食事のあいだじゅうみんなにあれこれ訊かれていた。御両親は元気かとか、この休みにはどこかへ旅行に行ったのかとか、好きなスポーツは何かとか、学校ではいまどんな勉強をしているのかとか。文ちゃんは一つずつに簡潔にこたえる。こたえるけれど、ほんとうはもう質問しないでほしいと思っていることが、僕にはとてもよくわかる。ママの家に泊りに行くと、ママも僕にたくさん質問するのだ。

「デザートは私が用意するわ」

百合ちゃんが言い、立ち上がった。

「じゃあ私、お手伝いする」

陸ちゃんが追う。

「卯月、デザートがすんだら花火しようか」

花火！　桐ちゃんの言葉に、僕はにっこりしてうなずいただけだったけれど、歓声をあげたい気持ちだった。あげるかわりに、ぶるんと身をふるわせた。夏休みの犬に、たぶんふさわしいやり方で。

# 9　一九六四年　五月

ドアをあけるなり彼の首に腕をまきつけ、ぎゅっと抱きしめて出迎えた。会社にいるときには、もちろんそんなことはできない。

「ただいま」

岸部さんは言ったが、私は、

「いらっしゃい」

と応じた。ここはこの人の家ではないのだから。そのことには気づかないふりをして、

「これ、買ってきたよ」

と、岸部さんは言う。さしだされた包みはまだ温かい。焼いた餃子《ギョーザ》だ。べつの包みは、包装紙から、海苔巻か稲荷寿司だとわかった。紙と経木《きょうぎ》を通して、冷えた酢飯の匂いがする。

「ありがとう」

私は言い、それらをテーブルに置いた。テーブルは合板で、木ではない何かが張って

あり、あかるい黄緑色をしている。家をでてからきょうまでの四年間の、私の起居の場であり精神の揺籃《ゆりかご》でもあるこのアパートに、週に二日、岸部さんはやってくる。家具らしい家具もない、畳のささくれたこの部屋に。

「早かったのね」

彼の脱いだ背広を衣紋掛《えもんか》けに掛けながら言った。窓の外は夕暮れだけれど、五月の空は、まだ仄《ほの》かにあかるい。

最初に買ったのはカーテンだった。それからこのテーブル、僅《わずか》な食器類とお鍋、布団。次に買ったのはバケツで、雑巾がけのときの水を、節約するためだった。

「走ったからね、駅から」

岸部さんが笑う。含羞《がんしゅう》と自嘲《じちょう》が相半ばする、このひと独特の笑みだ。

「走らなくたって、私はどこへも行かないのに」

返事がないので見ると、岸部さんは床に胡坐《あぐら》をかいて坐《すわ》ったまま、切るように悲しげな目で私を見ていた。

「ほんとうかな」

呟《つぶや》くように言う。

「どうも信じられなくてね」

私は胸をしめつけられる。

「ほんとうに決まっているでしょう？　可笑《おか》しなひとね。他に行くところなんてないじゃないの」

私は台所からコップを二つ取ってきて、ビールの栓を抜いた。雑然とした部屋のなかで。

本箱は、会社の先輩が譲ってくれたものだ。物干し竿は、前の住人が置いて行ったものをそのまま使っている。それでも、いまや私はこの部屋を、紛れもなく私そのものだと感じる。何度目かのお給料でトースターを買えたときには嬉《うれ》しかったし、一枚だけ飾ってある西洋版画は、二年前の誕生日に妹と弟から贈られたものだ。

がさがさと音をたてて、岸部さんがお土産の包みを破く。餃子と海苔巻がテーブルにならんだ。

「ローマイヤでハムを買ったの。それも食べる？」

同じ職場で働いているので、きょう、昼休みに岸部さんが床屋に行ったことを私は知っている。彼の襟足《えりあし》は、だからいま、子供のそれのように清々《すがすが》しい。

私たちはビールをのみ、簡単な夕食を共にする。彼には奥さんがあり、帰ってもう一度食事をしなくてはならないから、ここでお腹《なか》をくちくするわけにいかないのだ。そのかわりというわけでもないのだけれど、私たちはたくさん話をする。まるで、互いの思考や感情、これまで別々に生きてきた、その人生の時間までも、言葉を通じて貪《むさぼ》ろうとするみたいに。

硬い話題に傾きがちなのは、彼が国際部の記者だからかもしれないし、私が、議論においても負けず嫌い——岸部さんの言葉だ——だからかもしれない。きょうも、ハリウッドのメロドラマ映画の話をしていたはずが——私は映画欄を担当している——、いつのまにか、ライシャワー大使の刺傷事件の話になった。岸部さんはとても真面目《まじめ》で、ロマンティストでもあり、話題が刺傷事件だろうとマレーシアの独立——それに伴うインドネシア・フィリピンとの国交断絶——だろうと、最後には無名の人々を憂う。公と私の、利益および幸福の在り方、相互関連。それこそが彼の関心事なのだ。

会話に熱中し、ビールが三本空いて、食後のお茶をのみ終えるころには、九時になろうとしていた。網戸ごしに、蛙の鳴き声が聞こえる。私のアパートは原宿にあり、周囲を水田に囲まれている。今夜は、もう布団を敷くだけの時間はない。

「駅まで送らせて」

私がそう言ったのは、彼の家族を慮《おもんぱか》ってのことではない。もうしばらくすると、彼は時間を気にし始める。その姿を見たくなかったからだ。岸部さんは、はじかれたように私を見る。

「おいおい」

笑いながら言った。

「そう急いで追い返さなくてもいいだろう?」

立ち上がり、おずおずと私の肩を抱く。髪に顔を埋《うず》め、不器用に、耳に唇をつける。

「帰らなくたっていいんだ」

表情も声音《こわね》も、ひきさかれそうになっているひとのそれだ。私の気持ちは、そんな風には揺れない。そのことで、私はこのひとに、いつもすこし気が咎《とが》める。

「嘘《うそ》ばっかり」

言って、笑った。

私と岸部さんが身体《からだ》の関係まで持ってしまったのは去年のことだ。それまでも親しくはしていたけれど、それは兄妹のような親しさだと、すくなくとも私は思っていた。はじめてそういうことになったのも、この部屋でだった。同僚たちが集ってお酒をのみ、ホメイニ師の逮捕やらワシントンのデモ行進といった世界情勢を、真摯《しんし》かつ勝手気儘《きまま》に論じ合った夜のことだ。皆が帰ったあと、岸部さんだけがひき返して来た。冬で、部屋のなかは、本箱をくれたのと同じ先輩のお古の炬燵《こたつ》にだけ暖められていた。

矛盾してしまうけれど、それは必然的なことに思えた。私たちは互いを、すでにいちばん近くに感じてしまっていた。身体を重ねなかったとして、何が違っていただろう。

あとから知ったことだが、そのとき岸部さんの奥さんのお腹には赤ちゃんがいた。半年後、その子が無事誕生し、会社の皆でお祝いを贈ることになったとき、私もすこし、お金をだした。

大学時代の恩師の口ききがあって、私はある新聞社に、臨時社員として採用された。配属先は文化部で、男女合計して八人の、小さな所帯だった。皆、仕事熱心で個性的な、おもしろい人たちだ。けれど、所帯が小さければ関係が密になるかと言えば必ずしもそうではなく、私はむしろ、国際部の人たちと親しくなった。そして、そこに岸部さんがいた。

私が家出娘だということは、入社後ほどなく、周囲の誰もが知るところとなった。誰一人驚かなかった。あそこでは、そんなことは珍しくもないのだ。実際、第一線で働く女子社員の多くはストーリーを持っていた。いわゆる良家の子女とは、違うストーリーだ。父親の顔も知らないというMさんや、病身の母親を抱え、弟の学費の面倒もみて、三十六歳の現在まで独身を通しているOさん、日に煙草《たばこ》を一箱半も喫《す》い、さる大物政治家と肉体交渉がある（という噂《うわさ》の）Sさん――。仕事さえきちんとこなせるならば――そしてトラブルを会社に持ち込まないならば――、個人の事情には頓着《とんちゃく》しない。自由で大らかな気風があるのだった。

ああ！　私がそこで、どんなに解放されたことか。どんなに多くの学ぶべき事柄を発見し、毎日がどんなに新鮮で、刺激に満ちていることか。勿論《もちろん》、戸惑うことも多い。失敗ばかりの新米記者で、英語力もフランス語力も、ラテン語の知識もほとんど「身を助け」てはくれない。お嬢さん育ちだからそのうち逃げだすだろう、と考えている人は、いまもいる。

岸部さんに言わせると、私のいちばんいけないところは、叱《しか》られて反論するところであるらしい。そうすると、叱った人は激昂《げっこう》する。私はさらに反論するが、激昂した人に何を言っても無駄なのだった。上司というものは、論破すべき相手ではなく利用すべき相手なんだ、と、岸部さんは言う。私にはよくわからない。誰であれ、利用したいとは思えないのだ。

会社の私の机の前には、写真が一枚貼ってある。写真部の人が気紛れに撮った社内でのスナップで、たまたまそこにいた五人が写っている。男性は背広姿、女性も揃《そろ》って白いブラウスとロングスカート、という地味な服装だけれども、全員が驚くほど大きな笑みを浮かべている。男性二人は、二人とも煙草を指にはさんでいる。白黒写真ながら、女性たちの口紅の色——一様に深紅——が鮮やかにわかる。私はその写真が好きだ。別々の考え方を持ち、別々の環境に生れ育ち、何らかの偶然によって、同じ場所に集った人たち。

ともかくこれが、私の生活なのだ。いつの日にかお父様と和解することはあるかもしれないし、それを願ってもいるけれど、あの家に帰ることは、もう二度とないのかもしれない。後悔はしていない。

　豊彦さんのことを考えるときだけは別だけれども。

　結局十時をまわってしまった。駅への道を、私たちはならんで歩いている。街灯のおとすまるい影、夜気を冷やす蛙の声。

「妹さんたちと会うの、今週だっけ？」

　岸部さんが尋ねる。行為の余韻をとどめた、低く気怠《けだる》げな声で。

「そう、あさってよ。日曜日」

　私がまだ大学生だったころから、私と妹と弟は、三人でよく食事にでかけた。あの家の外の空気が、誰にとっても必要だったからだ。それは私が家をでてからも続いた。二月《ふたつき》に一度か三月《みつき》に一度、真昼の銀座で。去年妹が結婚し、そうそう家を空けられないと言うので、しばらく延期になっていた。ところが、先々月、その妹が離縁したらしい。母と弟が、それぞれ別に知らせてくれた。母は手紙で、弟はいきなり会社に現れて。

「たのしみだね」

　岸部さんがやわらかく言い、私は、

「とても」

と、こたえた。ほんとうに、とてもたのしみでならない。

妹の結婚は、半年しか続かなかったのだけれど、盛大な挙式だったと聞いた。私は出席できなかったのだけれど、盛大な挙式だったと聞いた。「私が自分で決めたのよ。善《い》い人そうだったから」いちばん最後に会ったとき、百合ちゃん――というのが妹の名だ――は言った。「私は菊ちゃんと違って、お家《うち》のなかにいることが好きなの。外で働きたいとは思わないし、大学も大嫌いだった」

私が「おめでとう」と言うと、彼女はみるみる頰を染め、あの大きな目を決意と期待に輝かせ、「ありがとう。私、きっといい奥さんになるわ」と、言ったのだった。

駅に着く前に、私は立ち止まった。

「ここにするのはどう？　時間の節約」

冗談めかせて言ってみる。駅まで送ってしまうと、帰り道が危ないという理由で、岸部さんは決まって私をアパートまで送ると言いだす。抗議しても無駄で、事実私たちは――おそろしく馬鹿馬鹿しいことだが――夜道を何往復もしたことがある。話し足りなくて、あるいは、別れがたくて。最近では、駅から一度ひき返し、半分まで来たところで互いに手を打つことになっている。きょうはそれを省いた。時間をかければかけるだけ、淋《さび》しくなるからだ。

岸部さんの眉間《みけん》のあたりに、悲しみの翳《かげ》がさす。そしていきなり抱きすくめられた。髪がひっぱられ、肋骨がしめつけられ、鼻も口も背広に押しつけられて息ができない。

勢いに気圧《けお》されたのか、蛙も鳴き止んでいた。

「ごめん」

岸部さんの声は震えていた。

「何とかするから。いつか必ず、状況の方を変えてみせるから」

腕が緩み、私は大きく息を吐いた。

「ちがうの」

微笑《ほほえ》んで言ったけれど、私は足が竦《すく》んでいた。たぶん、罪悪感に。

「私が望んでいるのはそういうことではないの」

その言葉は、岸部さんの耳には健気《けなげ》な睦言《むつごと》のように響いたのだろう。それ以上言わずにすむように、私は再び抱きしめられた。唇が唇で塞《ふさ》がれる。

抗《あらが》えない。わかっていた。岸部さんは私をほんとうに理解してくれた、ただ一人の人だ。こんな風に我を忘れ、あらん限りの情熱を込めて、私の存在を望んでくれている。そう思うと歓喜がつきあげた。彼の家庭も、私自身の罪悪感も、どうでもいいことなのかもしれない。私自身の罪悪感――。それは、私が彼に、これ以上何も望んでいないということなのだけれど。


日曜日は曇って、肌寒い日だった。トーストとコーヒーの朝食を摂《と》り、新聞に目を通してから、私はでかける仕度を整えた。合間に洗面所の掃除もする。シンクを磨き、鏡を拭《ふ》く。洗面台の鏡には、小さなカードが留めてある。事務用の、そっけない罫線入りのカードだ。以前一度だけここに泊ったことのある岸部さんが、その朝書き残して行ったものだ（私はひどく酔っ払い、ぐうぐう眠り込んでいた）。

「おはよう、うわばみのお嬢さん。きょうもいい日になるように」

端正で大きな、青いボールペンの文字で、そこにはそう書かれている。見るたびに笑ってしまうのは、あのころの私たちの、やんちゃな時間を思いだすせいかもしれない。こんな風に恋人同士になる前の、思うさま奔放《ほんぽう》に、何の憂いもなく互いを好きになれた時間。

原宿から国鉄に乗り、渋谷で地下鉄に乗り換えて銀座にでた。大きなデパート、服部《はっとり》の時計台、広々した目抜き通り。日曜日は人出が多い。和服姿の女性を見ると、一瞬母かもしれないと思う。母も、この街にときどき買物に来る。私は小さく深呼吸して、肩の力を抜こうと努める。にこやかに、大きな歩幅で颯爽《さっそう》と歩こう。曇り空だけれど、世界は花咲く五月なのだから。

店に入ると、いつもの支配人に笑顔で迎えられた。

「お二人ともお揃いです」

礼儀正しい物腰で言う。ここに来るのもひさしぶりのことだ。落着いた設《しつら》え、優美な螺旋《らせん》を描いて地下に通じる階段。

「ありがとう」

こたえて席に案内された。

「菊ちゃん！」

まず弟の抱擁を受けた。この子はいつも、踊るように動く。肌はアーモンドの匂いがする。

「お勉強はどう？　来年は大学に行かれそう？」

尋ねたとき、妹の姿が目に入った。もうすこしで声をあげるところだった。おずおずと笑みを浮かべ、抱擁に備えて腰を浮かせている妹は、私の記憶にある彼女とは、まるで別人のようだった。

「百合ちゃん」

抱きしめると、肉というものがほとんど感じられない。手首など、まるで小鳥のそれのようだった。それに、少年のように短い髪をしている。頰に感じた彼女の髪は、ひどくごわごわしていた。

「どうしたの？　こんなに痩《や》せちゃって」

昔から、妹は痩せっぽちだった。けれどそれは、健全なスキニーさだった。若い娘らしく頰はふっくらしていたし、生意気を言ってすぐにとがらせる唇は、可愛《かわい》らしく肉感的だった。

「これでもだいぶ元に戻ったんだよ」

弟が言う。

「帰ってきたときは、病人そのものだったんだから。口もきかないし、辛気くさくて」

弟の辛辣《しんらつ》な物言いは、あきらかに意図的なものだった。

「そうなの？」

それで私もそう言った。

「だめじゃないの、離縁ごときで傷ついたりしちゃあ」

妹は笑った。小さく。

「傷ついてなんかいないわ」

低い、吐き捨てるような口調だ。

「ただ」

そこまで言って、黙った。妹のまつ毛が、辛《かろ》うじて涙を押しとどめている。

「ただ」

涙声だったけれど驚いたことに妹は笑った。その拍子に涙は転がり落ち、彼女は笑いながら続けた。

「ただ、黙ってる癖がついちゃったのよ」

妹はナプキンでまつ毛を拭《ぬぐ》い、シャンパンがのみたいと言った。

「それはへんな癖ね」

私はこたえ、シャンパンを注文する。

メイン料理に、私はハンバーグを選んだ。パンではなくライスを添えたものを。

「一緒にお塩を持ってくるの、忘れないでね」

私が言うと、いつものように桐之輔は笑った。

「ライスには塩を」

合言葉を呟く。そこで私も、

「そうよ、百合ちゃん、ライスには塩を！」

と、妹に言った。これは私たち三人にだけ通じる言い回しで、無理に翻訳するなら「自由万歳！」。お茶碗に入った白いごはんはそのままでおいしいと思うのだけれど、お皿に盛られたごはんには、どういうわけか塩が欲しくなる。私たちは三人ともそうで、でもお行儀が悪いし塩分の摂りすぎになる、という理由で、子供のころにはさせてもらえなかった。大人になってよかった、自由万歳、というわけ。

「わかってるわ」

妹は微笑み、シャンパンのグラスを目の高さに持ち上げてこたえる。

「ライスには塩を」

と、どこか厳粛に。

桐之輔はビーフカレーとサラダを選んだ。

「ここの薬味の玉ねぎ、好きなんだ」

と、言って。

オードヴルとスープだけで十分だと言う妹に、私は強引に子牛のカツレツをとって食べさせることにした。体力のためというより精神のために。動物の温かな生命《いのち》をきちんとお腹に入れないと、人は心に力がつかない。精神的生命力とでもいうべきものが薄くなり、人生を愉《たの》しもうとする欲望や、血の気や活気も薄くなる。認めたくはないけれど、これは父に教わったことだ。彼ほど肉を食べる男性を――量ではない。食事の度にきちんと、まるで義務のように肉を食べる。少量の、でも血のしたたるほど赤いステーキとか、ロシア風に煮込んだかたまり肉とか、塩だけで焼いたチキンレッグとか――、私は他に見たことがない。

「やっと元に戻った」

桐之輔が、満足そうに息を吐いて言った。

「だいたい、結婚したからって姉弟とも会えなくなるなんておかしいよ」

百合は何も言わない。

「大学に入学すればお友達がたくさんできて、きっとあなたも忙しくなるわ」

私がそう言ったのは、弟が、姉二人を気遣いすぎると思ったからだ。桐之輔は露骨に不満気な顔をした。

「関係ないよ。そんなの」

オードヴルは可愛らしく、おいしかった。たっぷりした量のコールドコンソメを、妹は残さずに食べた。

「まあまあのお味ね」

ぼんやりした口調でそう言ったのは、義母の物真似《ものまね》なのだとわかった。

「おいしいとき、あの人はいつもそう言うの」

と、説明してくれたから。私は笑った。笑ったけれど、胸が痛んだ。

「欲しくないわ」

メイン料理が運ばれてくると、怯《ひる》んだように妹は言ったけれど、私と弟にやかましく促され、端を小さく切って口に入れた。咀嚼《そしやく》して嚥下《えんげ》し、不思議そうに首をかしげると、

「なつかしい味」

と呟いてフォークを置いた。またしても、たちまちまつ毛を潤ませる。

「へんね。カツレツを食べて泣くなんて」

そう言うと、小さな咳《せき》のような笑い声をたてた。

「食べなよ、どんどん。血、ふやさなきゃ」

桐之輔も、その点では父に教育されているのだ。百合は泣いたり笑ったりしながら、すこしずつパンを口に入れ、カツレツをのみこんだ。ワインを啜《すす》り、

「あそこのお家では、ごはんのときにワインをのまないの」

と言った。

「ビールとか、もっと軽いお酒もよ」

まるでそれが重大なことみたいに、大急ぎでつけ足す。

「のみもののない食卓って想像できる？　お料理が胸につかえて、のみこむのがとっても大変なのよ」

桐之輔は唇をまるめて破裂音をだし、百合への同情を示した。でも、私は複雑な気持ちだった。普通の家庭の食卓では、私たちの育った家ほどにはお酒が重要視されていないことを知っていたから。

「それに会話もないのよ」

百合は続けた。

「誰も何も話さないの」

誰も何も話さない？　私には、それがどういう意味なのかわからなかった。桐之輔にもわからなかったとみえ、私たちは顔を見合せてしまった。百合のもらした声は、ため息にも冷笑にも聞こえた。

「いいの。菊ちゃんや桐ちゃんには絶対わからないわ」

私も桐之輔も、肩をすくめるよりなかった。百合は黙り、グラスの脚をつかんで、じっと一点を見つめている。その目にもう涙はなかったが、かわりに何か強い感情——怒り？　違う、もっと奇妙なもの。挑むような、戦っているような——が湧き上がっていた。恐いほど静かに。

「お嫁にいくのって、どんな気持ちだった？」

尋ねたのは、すこしでも和《なご》やかな話が聞きたかったからだ。たった半年の、結果的に上手《うま》くいかなかった結婚ではあっても、幸福だった瞬間の幾つかはあったに違いなく、私は妹に、それを憶《おぼ》えていてほしかった。

百合は眉根を寄せ、怒ったように私を見た。

「下着もネグリジェも取り上げられるのよ」

そして言った。

「手紙は開封されてしまうし、月のものがいつ来たか報告しなくちゃいけないのよ。それを元にして、交接の日はお義母《かあ》さまが決めるの。本もピアノも、『お嬢様の趣味としてはいいけれど、百合さんはもう奥さんなんだから、いいかげんにしなくてはね』って言われるのよ。お化粧水一本買うのだって、お義母さまに相談してお金をいただかなきゃいけないのよ。それにね、交接の日以外には、夫に触れてはいけないの」

仰天した。妹の憑《つ》かれたような――しかもどこか攻撃的な――物言いにも戸惑ったけれど、それ以上に、一つ一つの言葉が重く、衝撃的だった。

「夫に触れてはいけない？」

鸚鵡《おうむ》のように、私は最後のところをくり返した。百合はうなずく。

「一度、おつとめから帰ったあの人の頬に指で触れたら、驚いて身を引かれた。気味わるがってるみたいだった。抱擁したら硬直してしまった。あとでお義母さまに叱られたわ。あのお家では、女が男に触れるのはふしだらなことなの」

私は、おととい岸部さんに思うさま触れた自分を思いだした。

「ひどいんだよ」

桐之輔が、横から私に説明する。

「あの家のばばあときたら、電話はとりついでくれないし、僕が訪ねて行ったときなんて、百合ちゃんはいたのにいないって嘘ついてさ」

「それは違うの」

椅子の上でぴょんと跳ねるような動作をして、百合は言った。

「お義母さまが悪いんじゃないの。あれは私が病気だったから」

最後まで言わせず、

「それを隠蔽《いんぺい》するなんて卑怯《ひきょう》じゃないか」

と、桐之輔は語気を強めた。

「あれじゃ軟禁だよ。お父さまに話してよかったと思ってる。心配したんだよ、すごく」

頬を紅潮させ、肩までのばした茶色いくせ毛を揺らして言う。

「それなのに、迎えに行ったときあのばばあがお母さまに何て言ったと思う？　『こんなに病弱なお嬢様だとは思ってもいませんでした』って、まるで不良品でも返品するみたいにさ」

「不良品だったのよ」

百合が断じた。低い、絶望的に冷静な声で。沈黙が落ち、しばらくナイフとフォークがお皿に触れる音だけがした。白いクロス、上品なクリーム色に塗られた壁、靴先の埋まる厚い絨緞《じゅうたん》。私には、妹の憤《いきどお》りがどこに向けられたものなのかわからなかった。夫婦の交接にまで干渉してくるという義母を、彼女はむしろ肯定している。

「私ね、男女のことを知らなすぎたんだと思う」

おずおずと口をひらいた妹の声音には、わずかに恥らいが感じられた。私のよく知っている、なつかしい妹の口調。素直な、恥かしげな。

「小説や映画にでてくるみたいなことが、ほんとうにあると思ってたんだから」

そう続けた彼女の浮かべた笑みは、しかし自嘲そのものだった。歪《ゆが》んだ、ほとんど吐き捨てるような。

「どういうこと？」

私は尋ね、ワインを一口啜った。妹はあっさり肩をすくめる。言うのもばかばかしいという仕草。しかし結局、つまらなさそうにこう説明した。

「二人はあきれるでしょうけれど、たとえば男の人が、幸福でたまらないという表情で女を見つめたり、待ちきれないみたいに勢い込んで抱擁したり、言葉を尽して何かを話してくれたりすると思ってたの。ばかだったの。そういうことよ」

私は言葉を失った。岸部さんの眼差《まなざ》しや、手のひらの温度、私を——まさに勢い込んで——抱きしめる腕の力強さや、声や唇や皮膚や、それらすべてが一時《いちどき》に蘇《よみがえ》った。

「あるんじゃないのかな、そういうこと」

桐之輔がこたえるのが聞こえた。

「桐ちゃんはあるの？」

ほんのすこしのまを置いて、桐之輔は、

「ない」

とこたえた。私は頰が熱くなり、どうしていいかわからなくなる。身体じゅうの血管という血管を、血が、突然音をたてて流れ始める。

「そんなの絵空事なのよ」

妹の声は、ひどく遠く聞こえた。

食後のコーヒーをのむ段になっても、私はまだ動揺していた。

「何とかするから。いつか必ず、状況の方を変えてみせるから」

痛いほどきつい抱擁も、彼の声も息遣いも、身体じゅうに残っている。

私の現状を知ったら、この二人はどんなに驚くだろう。夫に触れることさえ「ふしだら」ならば、私のしていることは、一体どう呼ばれるべきなのだろう。

「でもよかったよ。百合ちゃんがあんなへんな家をでてきて」

コーヒーにミルクと砂糖を入れ、静かにかきまわしながら桐之輔は言った。

「これで菊ちゃんも帰ってきてくれたら、僕としては言うことなしなんだけどな」

私は微笑んでみせる。たとえば豊彦さんに別れを告げたときにしたみたいに、虚勢をかき集めて。

「そういうわけにはいかないわ。やっと手に入れた私自身だもの」

すくなくともそれは確かだ。自分の仕事、自分の部屋、庇護《ひご》されるのでもするのでもない対等な立場で、私を尊重してくれる男性にも出会えた。私と岸部さんの関係は、どうしても定義づけるなら親友であり、肉体関係は互いの性別が違ったことの結果にすぎないし、それは私たちの魂の結びつきをさらに強めた。いけないことだろうか。

この世に、岸部明彦という人が存在した。それは驚くべきことだった。私はこれまで他の誰に対しても、そんな風に感じたことはなかった。家族にも、大好きだった豊彦さんにも――。彼らはそもそもの初めから、私の人生に存在していた。

妹の語った彼女の結婚生活は、名を伏せて新聞の婦人欄に投書したいほど、奇妙きてれつなものだった。私は、私自身のこの一年間が、さまざまな出会いと豊かさ、いっそ陽気と言っていいような記憶に彩られているために動揺した。そして、そのあいだに妹がそんな目に遭っていたと思うと怒りが湧いた。

でも、一体誰に腹を立てるべきなのだろう。旧弊な考え方から妹を見合い結婚させた父にだろうか。妹を支えられなかった男に？　それとも自ら望んで――まさにこのレストランのこのテーブルで、百合は頰を上気させ、「私、きっといい奥さんになるわ」と、言ったのではなかったろうか――そんな場所にとび込んでいった妹自身に？

なかでもショックだったのは、彼女が声を失っていたあいだに使っていたという、手《て》帖《ちょう》を見せられたときだった。そこには筆圧の強い文字で――百合は手首も指も強い。家族の誰よりも正確に、バッハを弾きこなす指だ――、たくさんの走り書きがしてあった。ほんとうにでないんです。嘘じゃありません。でないんです！　青いボールペンの文字は乱れ、彼女の必死さが伝わってくる。比較的おだやかな言葉のならぶ頁《ページ》もあった。

私がします。投函してきましょうか？　お味見して下さい。おつゆにみょうがを入れてもいいですか？

お義母さまに、私は嘘つきではないと言って下さい。という一文もあった。あなたも信じて下さらないの？　という文章の、「あなた」の下にはラインが二本引かれている。そして、どの頁にも一つの言葉がくり返しでてきた。ごめんなさい。ごめんなさい。ごめんなさい。その六文字は、ときにお行儀よく、ときに荒々しく、あちこちにちりばめられていた。

「信じられない」

手帖を閉じることも忘れて、私は言った。

「どうして逃げてこなかったの？」

妹はずっと、両親に幸福そうな手紙を寄越《よこ》し続けていた。新しいお料理を覚えました。お義母さまに歌舞伎に連れて行っていただきました。横浜を散歩し、ティールームでお茶をのみました。

母はそれを、私への手紙に書いて知らせてくれていた。百合ちゃんも元気にしているようで、一安心です、という、心からの言葉を添えて。

「わかってるのは、私がもう二度と、どんなお家にも嫁がないっていうことよ」

私の質問にはこたえず、淡々と百合は言った。

「そんな風に頑《かたく》なにならなくても、今回はたまたま相手が悪かっただけかもしれないでしょう？」

私は言い、桐之輔も隣でしきりに同調したけれど、百合の返答はにべもなかった。
「菊ちゃんにはわからないのよ。絶対にわからないわ」
まるで、私に腹を立てているみたいだった。

車を待たせてあるという二人と、地下鉄の入口で別れた。またすぐに会いましょうと約束して、抱擁を交した。

目の前にいる百合はたしかにやつれていたし、きつすぎるパーマの残ったショートヘアは、彼女を実年齢よりずっと老けて見せていた。それでも、気の強そうな大きな目や、知らない人が見たら尊大さと受けとりかねない臆病《おくびょう》さゆえのそっけない態度、世界を相手に一人で戦っているような、悲愴《ひそう》な勇敢さは変っていない。私の妹だ。人の多い街なかで見ると、それがはっきりとわかった。もっとも、私たち三人が血のつながった者同士だということは、いまこの場にいる誰の目にも、あきらかだっただろうけれど。

彼らに背中を向け、階段をおり始めた途端に淋しさを感じた。別の場所に帰るのだというこ とに、もう馴《な》れたつもりだったのに。

電車のなかで、豊彦さんのことを考えた。少女のころから胸をときめかせ、いつか絶対にこの人のお嫁さんになるのだと、決めてもいた男性のことを。一緒に家をでようと言ってくれることを、私はほんのすこしだけ期待していた。あるはずのないことだったと、いまならばわかる。あの人は、私よりも父に、忠誠を誓ってしまった人なのだから。渋谷駅のホームは狭い。人波に押されるように私は地下鉄からはきだされ、足を速めて国鉄の改札に向かう。

豊彦さんのお母さまはどうされているだろう。夫ばかりか息子まで、柳島家に奪われてしまったあの気の毒な女性は。豊彦さんを婿養子にとられずにすんだことで、すこしはほっとなさっているだろうか――。

アパートに戻ると、ついさっき感じた淋しさはもうなかった。私の部屋だ。窓をあけ放ち、風を入れた。レールに埃《ほこり》がたまっていたが、構わず窓枠に腰掛ける。お尻の下がでこぼこで痛いのだけれど、私はここに坐るのが好きだ。上半身が、まるごと戸外の空気に晒《さら》される。むうっとする緑の匂い。あいかわらず曇り空だが、夏がそこまで来ていることが、感じとれる。しばらくそうして景色を見ていた。道と民家と水田と空、電柱と電線。自分でも気づかないうちに、ハミングが口をついてでた。映画『鉄道員』のテーマソングだ。哀感の漂うメロディ。思いたって、ハミングを口笛に変えてみた。私の唇からもれるそれは、ぴゅうぴゅうと頼りなくて、ほとんど曲の体裁を成さない。気持ちを集中させて試したけれど、さっぱり上手くいかず、しまいに笑いだしてしまった。夕方の風に、目を細める。口笛というものは、練習すれば誰でも吹けるようになるのだろうか。女よりも男の方が、上手に吹ける人が多いような気がするのには、何か理由があるのだろうか。今度岸部さんに訊《き》いてみようと思った。

あかるいうちに銭湯に行くことに決め、窓を閉める。銭湯から帰ったら、あした着る服にアイロンをかけよう。早く会社に行きたいと思った。会社に行けば、するべき仕事がたくさん待っているから。

（下巻へ続く）

初出誌
「ＳＰＵＲ」二〇〇五年三月号～二〇〇九年六月号
本書は二〇一〇年十一月、集英社より刊行されました。
文庫化にあたり、上下二巻として再編集しました。

# 江國香織の本

## 左岸（上・下）

茉莉は17歳で駆け落ち。妊娠、結婚、そして数々の男との出会いと別れを経験するが、いつもどこかに幼馴染みの九《きゅう》の影が——。半世紀にわたる男女の魂の交歓を描く一大長編。

## すきまのおともだちたち

（こみね　ゆら・絵）

旅先で「すきま」に迷い込んだ私を助けてくれたのは、小さな女の子とおしゃべりなお皿。元の世界へ戻れない私と、不思議な魅力に満ちた彼女たちとの間には、いつしか友情が芽生え……。

集英社文庫

江國香織の本

## 日のあたる白い壁

ゴーギャン、マティス、東郷青児……。著者が世界のあちこちで出会った古今東西の名画たち。「嫉妬しつつ憧れる」という27人の画家の作品をとりあげ、想いを綴った、至福のエッセイ集。

## とるにたらないものもの

輪ゴム、レモンしぼり器、お風呂、大笑い……。日常のなかの、ささやかだけど愛すべき「もの」たちをめぐる記憶や思い。やわらかな言葉で綴る絶妙なショートエッセイ集。

集英社文庫

江國香織の本

## 泳ぐのに、安全でも適切でもありません

安全でも適切でもない人生の中で、愛にだけは躊躇《ためら》わない――あるいは躊躇わなかった――10人の女たち。愛することの喜び、苦悩、不毛……。第15回山本周五郎賞受賞の傑作短編集。

## モンテロッソのピンクの壁

（荒井良二・絵）

夢にでてきた、ピンクの壁がある所、モンテロッソへいかなくちゃ！　猫のハスカップの旅が続く。荒井良二の美しい絵（書き下ろし多数）で誘う江國ワールド。贅沢な文庫版絵本。

集英社文庫

江國香織の本

## ホテル　カクタス

（佐々木敦子・画）

三階に帽子が、二階にきゅうりが、一階に数字の2が住む石造りの古びたアパート、ホテルカクタス。「三人」の、可笑しくて少し哀しい日々を描く、詩情あふれる大人のメルヘン。

## 薔薇《ばら》の木　枇杷《びわ》の木　檸檬《れもん》の木

恋愛は世界を循環するエネルギー。日常というフィールドを舞台に、何ものをも畏《おそ》れず軽やかに繰り広げられる、9人の女性たちの恋と愛と情事。都会的タッチの「恋愛運動小説」。

集英社文庫

集英社文庫

抱擁《ほうよう》、あるいはライスには塩《しお》を 上《じょう》

2014年1月25日 第1刷 定価はカバーに表示してあります。

著 者 江國香織《えくにかおり》
発行者 加藤 潤
発行所 株式会社 集英社
東京都千代田区一ツ橋2-5-10 〒101-8050
電話 03-3230-6095（編集部）
03-3230-6393（販売部）
03-3230-6080（読者係）

印 刷 大日本印刷株式会社
製 本 大日本印刷株式会社

フォーマットデザイン アリヤマデザインストア マークデザイン 居山浩二

本書の一部あるいは全部を無断で複写複製することは、法律で認められた場合を除き、著作権の侵害となります。また、業者など、読者本人以外による本書のデジタル化は、いかなる場合でも一切認められませんのでご注意下さい。

造本には十分注意しておりますが、乱丁・落丁（本のページ順序の間違いや抜け落ち）の場合はお取り替え致します。ご購入先を明記のうえ集英社読者係宛にお送り下さい。送料は小社で負担致します。但し、古書店で購入されたものについてはお取り替え出来ません。

© Kaori Ekuni 2014 Printed in Japan
ISBN978-4-08-745150-4 C0193